A Pictorial History of the 244th Sentai, Tokyo's Defenders

飛燕戦闘機隊

帝都防空の華 † 飛行第244戦隊写真史

【解説】櫻井 隆
Takashi Sakurai

HIEN

Hien Fighter Group

大日本絵画

1945年時のモノクローム写真にカラー彩色を施してみる。

カラー彩色・解説／横山 宏
Colorization by Kow Yokoyama

Adding Color to a 1945 Photo

ここに掲載したカラー写真は当時のモノクローム写真に、『Photoshop』という写真修正用のソフトウェアを使って、コンピューターでカラー化した。グレーの階調にそれに相当する色相を入れ替えていく作業は絵を描くこととまったく同じ作業で楽しかった。元になっている写真の構図や階調は、すべてが計算されていたものなので、彩色のことだけに意識を集中できた。また調布には、ここ30年の間、何度も足を運んでいたので、その土の色や空気感を時間差でスケッチするような感じがした。その色を基準として迷彩や服装などの色調を再現している。

胴体の白帯などが、もっとも明るい調子でないことから純白ではないことがわかるね。当然、ここでも白をそのまま塗らないほうが、リアルな作品になる。それにしても唐草模様のように吹き付けてるのがなんとも東洋的。彩色することによって、外板の厚さとかも見えてくるような気がするから不思議。色は情報を増やす要素なんだね。

［p.79 写真 H0693 参照］

タンクの前面の半球の部分がかなり扁平な曲面なのがわかる。機首の機銃をふさいでいるテープはなぜか赤いような気がした。ということで、歴史的資料としてはどうでしょうかね。

［p.110 写真 29 参照］

翼上面が写っている写真は、情報量がとくに多い。日光が写真右側から当たっているので、外板の重なり具合が進行方向に沿って上になっていることがよくわかる。また動翼も他の部分と同じ階調なので、銀色のドープを塗っていることがわかる。ここの色は今まではっきりしなかった部分だけに、この写真は貴重。また迷彩のグリーンを吹きつけているパターンは当然作業をする人によって違う。各機体によってその人の癖みたいなものが見られるのがおもしろい。西欧の人が吹き付けるパターンとは、あきらかに違うのも逆に海外の人にとって興味深いのかもね。すべてを完全に再現するには三方向から撮影した写真が必要なわけだが、写っていない部分を当時、塗った人のパターンから想像しながら再現してみるのも、おもしろい。

[p.35 写真 H0488 参照]

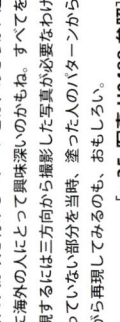

全面グリーンに塗られていながら、反射よけの黒が剥がれていて飛行中に、まぶしくなかったのかなあ。アンテナ柱を外してあると飛燕の造形美が倍増すると思います。しかし写真というのは、すごい情報量をもっていると再度感動した。

［p.42 写真 H0515 参照］

富士山は60年前も今と同じように見えるのが当然とはいえ、なんだかうれしい。迷彩を一度、剥がしたか、ふき取ったかしている銀色の機体だが、動翼の部分に迷彩が残っているのが、おもしろい。ベンチュリー管が秘密兵器の一部だということで外されているのが残念。また、光を反射している銀色は塗りの白より明るくみえる。再現するには白をオフホワイトにして、なおかつ艶を押さえるといいわけだ。「フムナ」の文字が、なんとなく残っているの部分も見栄えのする演出になるのでぜひ再現したい。

［p.41 写真 H0685 参照］

How to Use These Photos: The photos here are b/w photos taken during the war that were colorized using a computer. The colors were added based on a careful study of the gradiations in tone present in the original photograph in order to preserve the feel of the original as much as possible. Below each photo is a copy of the b/w original and a notation of the page where the photo's detailed commentary can be found. Please refer to the comments on those pages for a more complete explanation of what the photo is.

飛行第244戦隊配備の三式戦闘機「飛燕」塗装とマーキング

カラー・イラスト／横山 宏
Illustrations by Kow Yokoyama

Camouflage and Markings of Hein Type 3 Fighters of the 244th Sentai

参考：「陸軍 244 戦隊 調布の空の勇士たち」 URL: http://www5b.biglobe.ne.jp/~s244f/
ライフライクデカール／No.48-003, No.48-004, No.s48-005

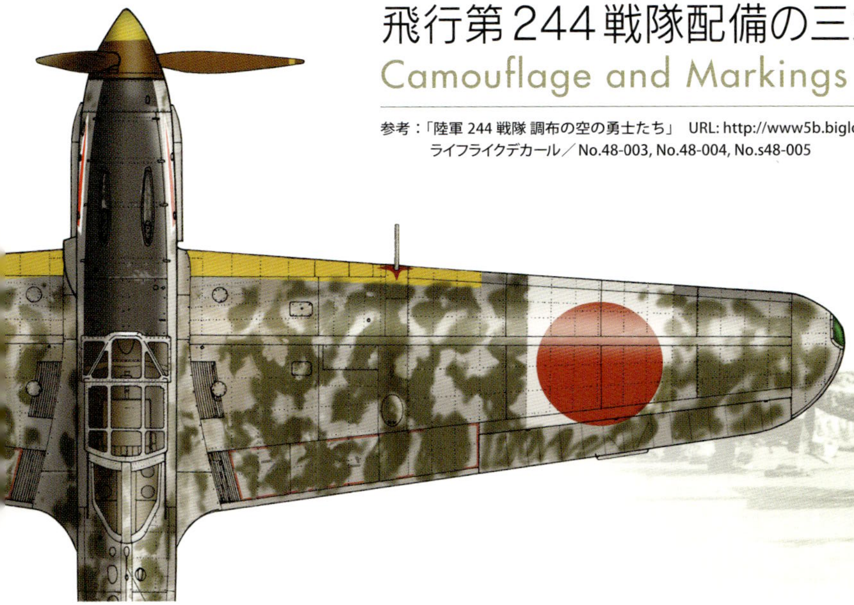

1.一型丁 4424号　小林照彦大尉　本部小隊　昭和19年12月下旬～20年1月　浜松飛行場
Model 1 Tei #4424, flown by Capt. Teruhiko Kobayashi, HQ Unit, Dec. 1944 - Jan. 1945, Hamamatsu Airfield

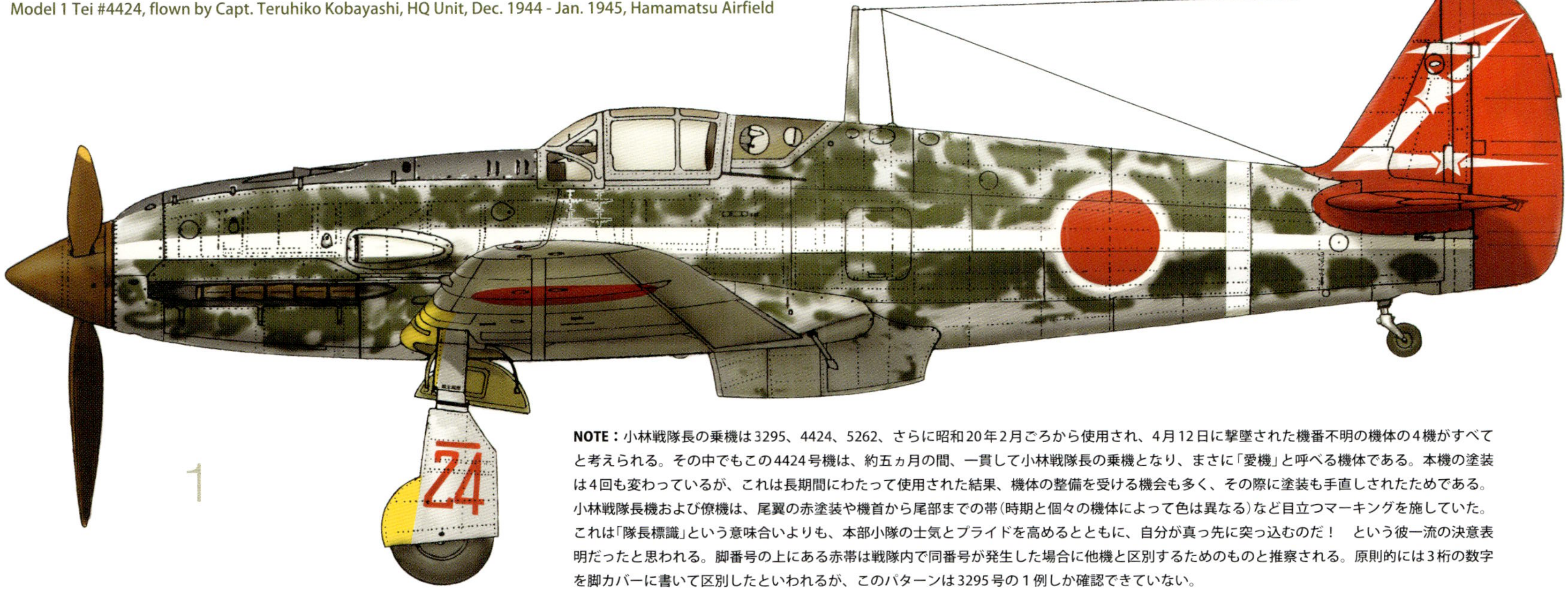

1

NOTE：小林戦隊長の乗機は3295、4424、5262、さらに昭和20年2月ごろから使用され、4月12日に撃墜された機番不明の機体の4機がすべてと考えられる。その中でもこの4424号機は、約五ヵ月の間、一貫して小林戦隊長の乗機となり、まさに「愛機」と呼べる機体である。本機の塗装は4回も変わっているが、これは長期間にわたって使用された結果、機体の整備を受ける機会も多く、その際に塗装も手直しされたためである。小林戦隊長機および僚機は、尾翼の赤塗装や機首から尾部までの帯(時期と個々の機体によって色は異なる)など目立つマーキングを施していた。これは「隊長標識」という意味合いよりも、本部小隊の士気とプライドを高めるとともに、自分が真っ先に突っ込むのだ！　という彼一流の決意表明だったと思われる。脚番号の上にある赤帯は戦隊内で同番号が発生した場合に他機と区別するためのものと推察される。原則的には3桁の数字を脚カバーに書いて区別したといわれるが、このパターンは3295号の1例しか確認できていない。

2. 一型丁 4424号　小林照彦大尉　本部小隊　昭和20年2月10日　調布飛行場
Model 1 Tei, #4424, flown by Capt. Teruhiko Kobayashi, HQ Unit, Feb. 10, 1945, Chofu Airfield

3. 一型丁 4424号　小林照彦大尉　本部小隊　昭和20年3月19日　調布飛行場
Model 1 Tei #4424, flown by Capt. Teruhiko Kobayashi, HQ Unit, March 19, 1945, Chofu Airfield

2

3

NOTE：4424号 (2.) の体当りマークの飛燕は、昔のフイルムの特性が赤を暗く、青を明るく写すことと、防眩塗装の黒よりも暗く見えることから、黒と判断した。4424号 (3.) では翼前縁が赤く塗られている。赤色の翼前縁はごく短期間のみの処置だったと推定されるので、作戦遂行上の必要があって、大本営あるいは第30戦闘飛行集団司令部の命令で実施された可能性が高い。戦隊長機は通常、戦闘隊の先頭を飛ぶため、その翼前縁は戦隊長機のさらに前方に位置する機体のために塗られたはず。これは米機動部隊攻撃作戦のため、総力を結集した大編隊の最先頭を飛ぶであろう誘導機（四式重爆）から戦闘隊編隊長機を視認しやすくする目的だったと考えられる。4424号 (3.) の落下タンクに書かれた機付兵の氏名は、写真で確認することができなかったので、あくまで可能性の一例とした。

4.一型丁 4424号　高島俊三少尉　第159振武隊　昭和20年5月　調布飛行場
Model 1 Tei #4424, flown by 2nd Lt. Shunzo Takashima, No. 159 Shinbu-tai, May, 1945, Chofu Airfield

5.一型丙 15号　鈴木正一伍長　みかづき隊　昭和20年1月29日　浜松飛行場
Model 1 Hei #15, flown by Cpl Seiichi Suzuki, Mikazuki-tai, Jan. 29, 1945, Hamamatsu Airfield

4

5

NOTE：4424号 (3.) に描かれた主脚カバーの数字は、5月 (4.) に写真に撮られた時点である程度の時間が経過していると思われることと、全体の迷彩が3月初め (3.) の状態から変わってないことから、主脚カバーの数字だけを描き直す理由もないと判断し、5月 (4.) の時期と同じとした。数字の色は赤とも青とも見えたが、3月には翼前縁が赤だったこともあり、視認性の問題と同日の62号 (13.) の数字が戦隊本部隊色の青と判断されることから、同じく青とした。写真をよく見るとプロペラとスピナーともに迷彩が吹き付けられ、プロペラ先端の黄色標識も見えないほどなので、プロペラ全体をほぼ暗緑色とした。15号 (5.) にあるような黄色の胴体後部の帯にも、いくつかの色が使われ、また複数の帯を巻いた機体もあった。これらは原則的に中隊色が塗られていたが、244戦隊では各飛行隊の戦力均衡を計るため、機体の配置換えも頻繁にあったので色の統一性はなく、個々の機体の識別、管理を容易にするための便法だったと思われる（スピナーの塗り分けなども同様）。

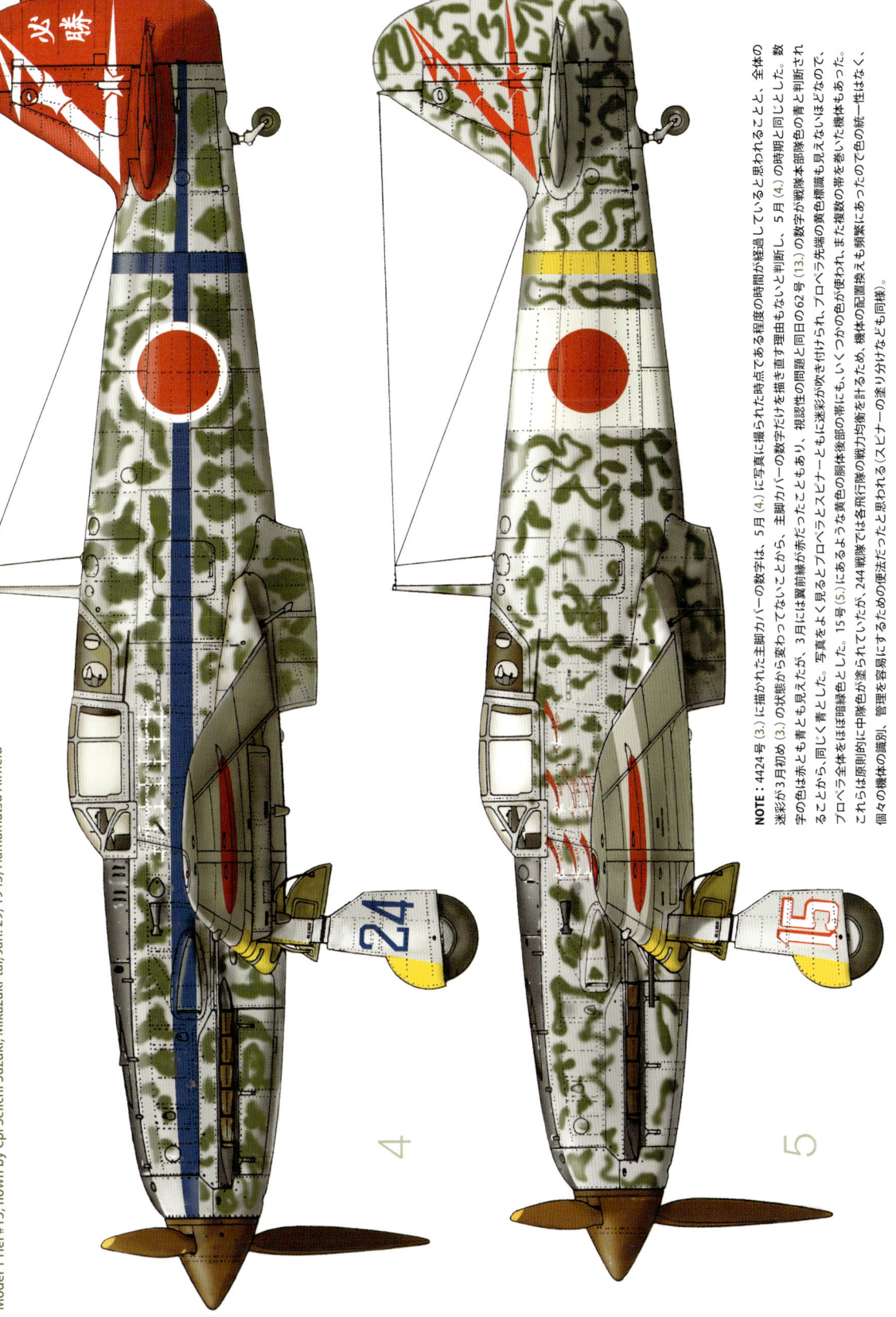

6. 一型甲 16号　中野松美軍曹　震天制空隊　昭和20年2月　調布飛行場
Model 1 Ko #16, flown by Sgt Matsumi Nakano, Shinten-tai, Feb. 1945, Chofu Airfield

7. 一型乙 14号　板垣政雄軍曹　震天制空隊　昭和20年2月　調布飛行場
Model 1 Otsu #14, flown by Sgt Masao Itagaki, Shinten-tai, Feb. 1945, Chofu Airfield

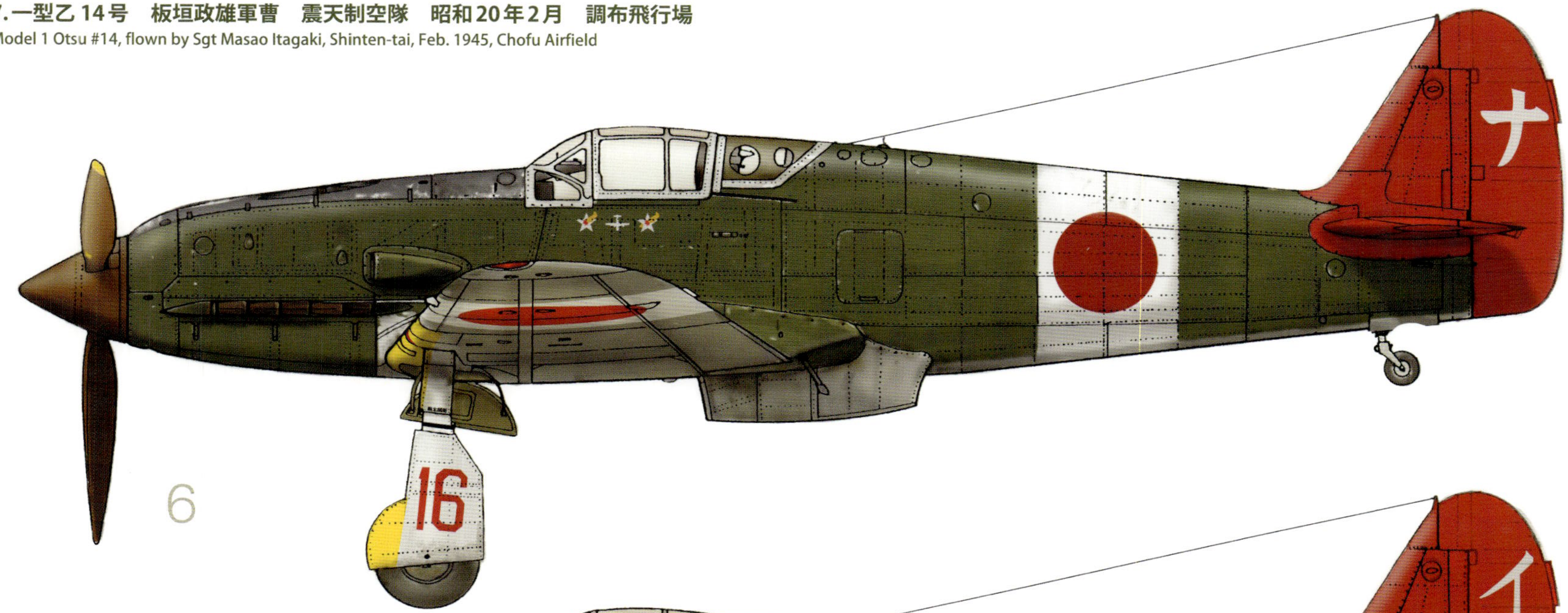

6

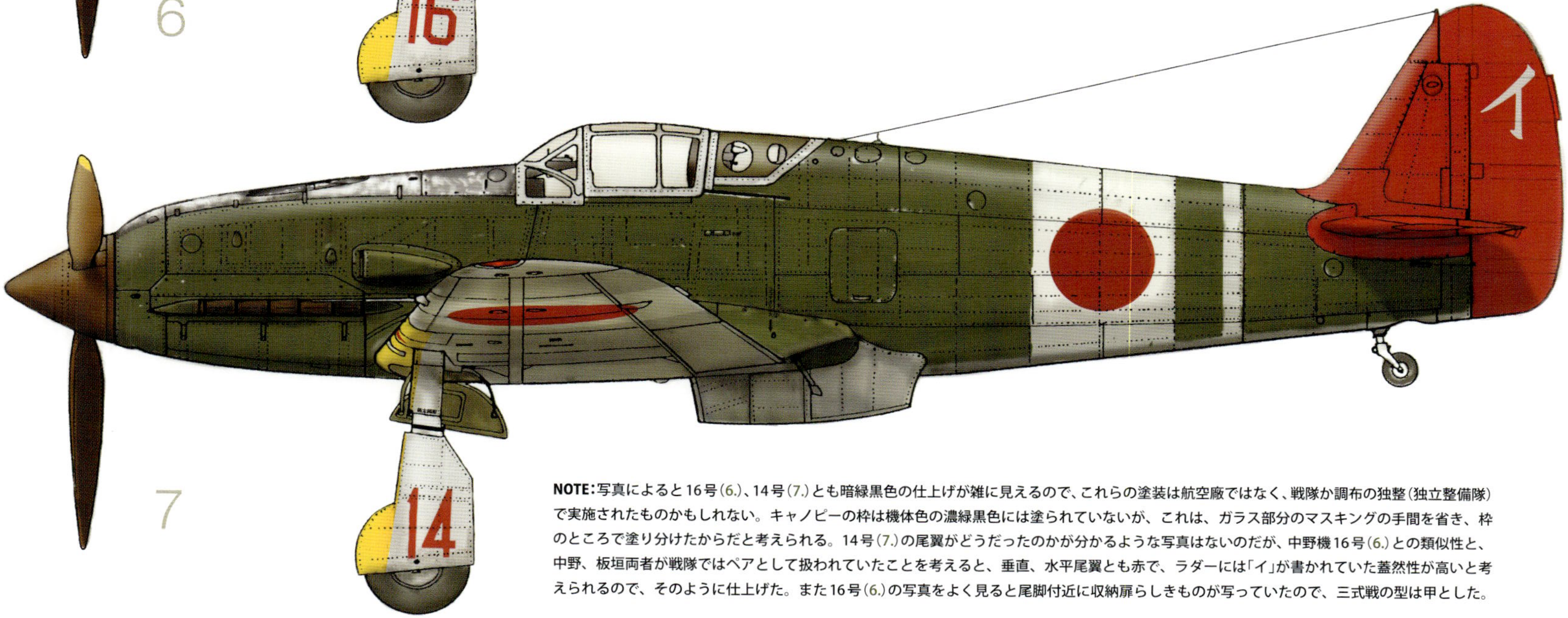

7

NOTE: 写真によると16号(6.)、14号(7.)とも暗緑黒色の仕上げが雑に見えるので、これらの塗装は航空廠ではなく、戦隊か調布の独整(独立整備隊)で実施されたものかもしれない。キャノピーの枠は機体色の濃緑黒色には塗られていないが、これは、ガラス部分のマスキングの手間を省き、枠のところで塗り分けたからだと考えられる。14号(7.)の尾翼がどうだったのかが分かるような写真はないのだが、中野機16号(6.)との類似性と、中野、板垣両者が戦隊ではペアとして扱われていたことを考えると、垂直、水平尾翼とも赤で、ラダーには「イ」が書かれていた蓋然性が高いと考えられるので、そのように仕上げた。また16号(6.)の写真をよく見ると尾脚付近に収納扉らしきものが写っていたので、三式戦の型は甲とした。

一型乙14号　上面図
Model 1 Otsu #14, Top View

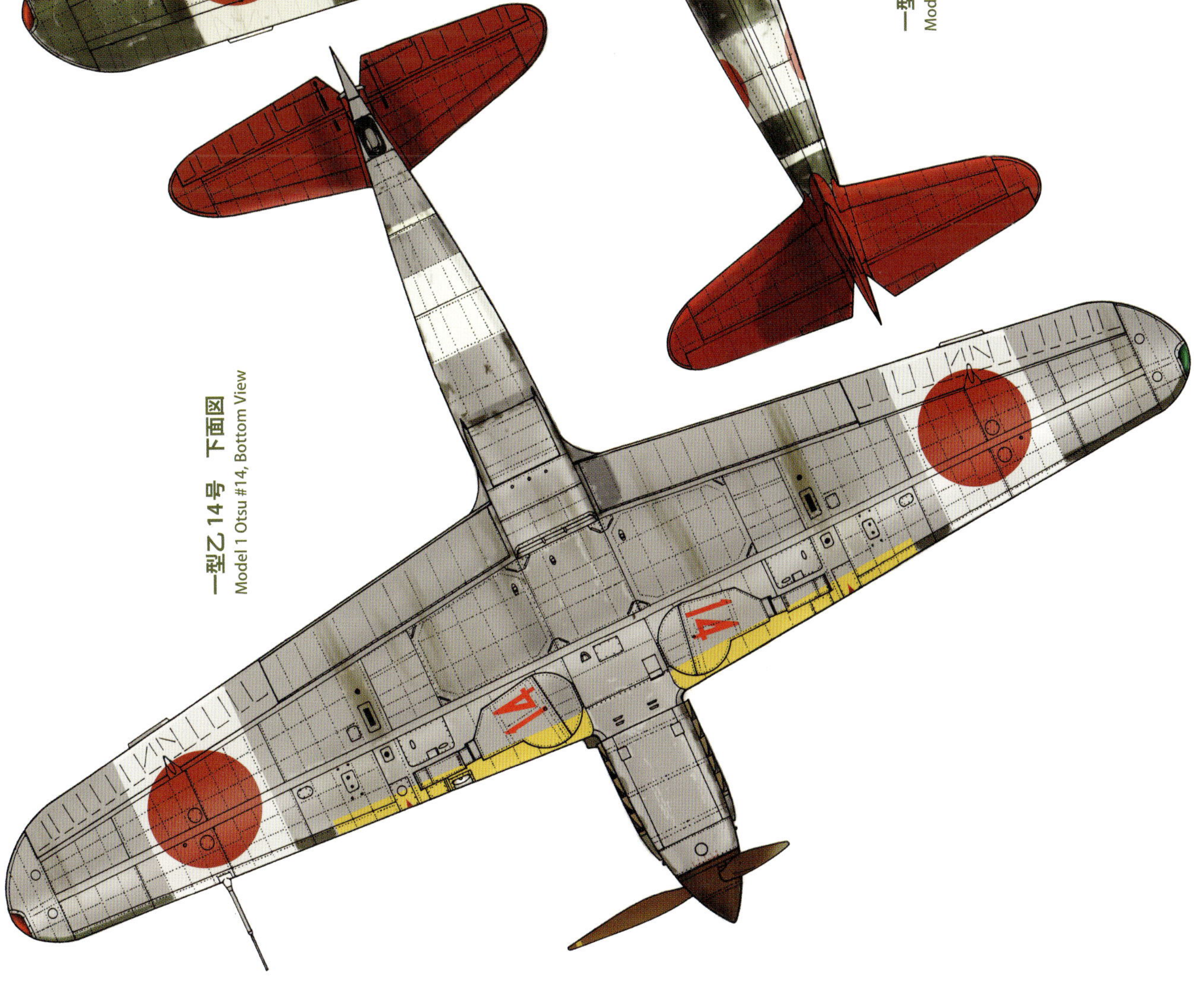

一型乙14号　下面図
Model 1 Otsu #14, Bottom View

8.一型乙 16号　生野文介大尉　そよかぜ隊　昭和20年1月末　浜松飛行場
Model 1 Otsu #16, flown by Capt. Fumisuke Shouno, Soyokaze-tai, late Jan. 1945, Hamamatsu Airfield

9.一型丙 88号　生野文介大尉　そよかぜ隊　昭和20年2月　調布飛行場
Model 1 Hei #88, flown by Capt. Fumisuke Shouno, Soyokaze-tai, Feb. 1945, Chofu Airfield

8

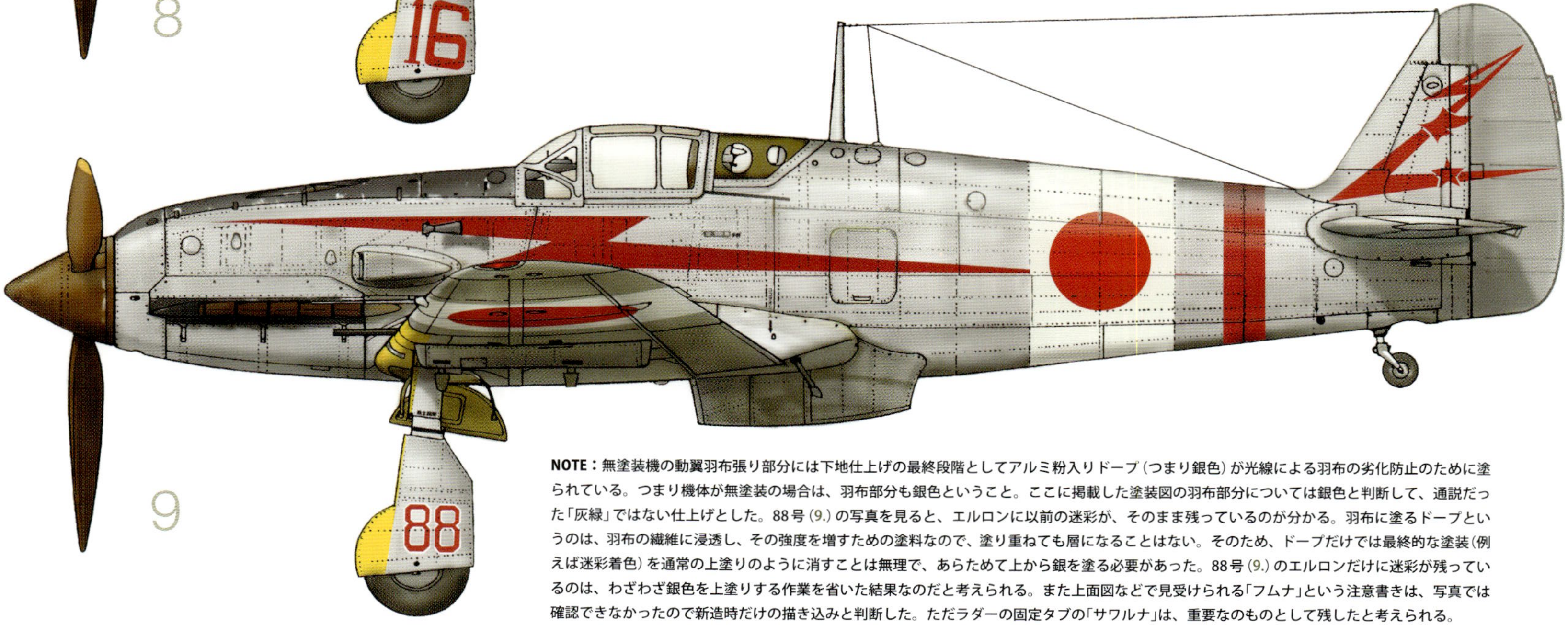

9

NOTE：無塗装機の動翼羽布張り部分には下地仕上げの最終段階としてアルミ粉入りドープ（つまり銀色）が光線による羽布の劣化防止のために塗られている。つまり機体が無塗装の場合は、羽布部分も銀色ということ。ここに掲載した塗装図の羽布部分については銀色と判断して、通説だった「灰緑」ではない仕上げとした。88号（9.）の写真を見ると、エルロンに以前の迷彩が、そのまま残っているのが分かる。羽布に塗るドープというのは、羽布の繊維に浸透し、その強度を増すための塗料なので、塗り重ねても層になることはない。そのため、ドープだけでは最終的な塗装（例えば迷彩着色）を通常の上塗りのように消すことは無理で、あらためて上から銀を塗る必要があった。88号（9.）のエルロンだけに迷彩が残っているのは、わざわざ銀色を上塗りする作業を省いた結果なのだと考えられる。また上面図などで見受けられる「フムナ」という注意書きは、写真では確認できなかったので新造時だけの描き込みと判断した。ただラダーの固定タブの「サワルナ」は、重要なのものとして残したと考えられる。

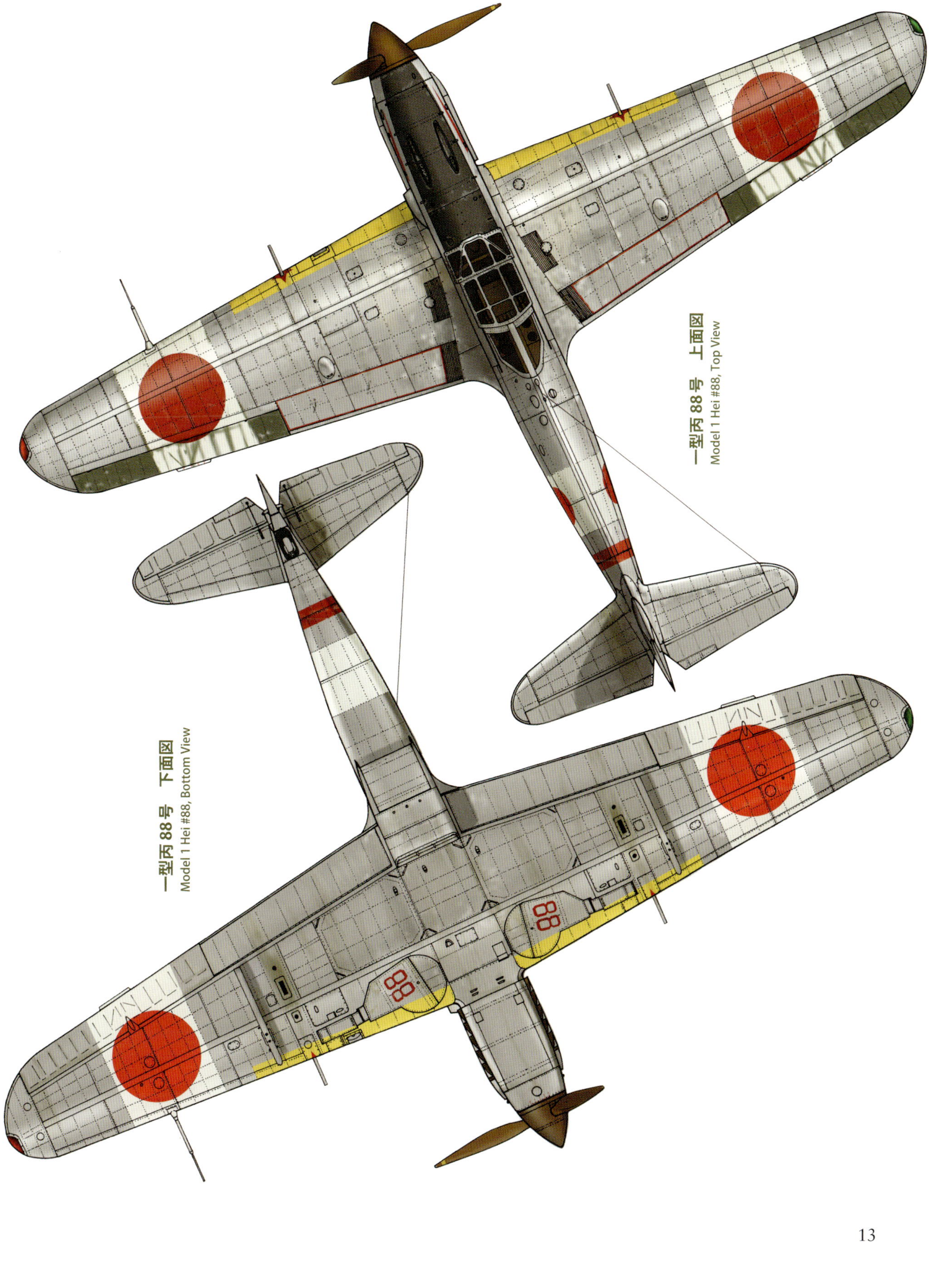

一型丙88号　上面図
Model 1 Hei #88, Top View

一型丙88号　下面図
Model 1 Hei #88, Bottom View

10. 一型乙 45 号　安藤喜良伍長　本部小隊　昭和19年12月下旬〜20年1月9日　浜松飛行場
Model 1 Otsu #45, flown by Cpl Kiyoshi Ando, HQ Unit, Dec. 1944 - Jan. 1945, Hamamatsu Airfield

11. 一型丙 43 号　石岡幸夫伍長　そよかぜ隊　昭和20年　調布飛行場
Model 1 Hei #43, flown by Cpl Yukio Ishioka, Soyokaze-tai, 1945, Chofu Airfield

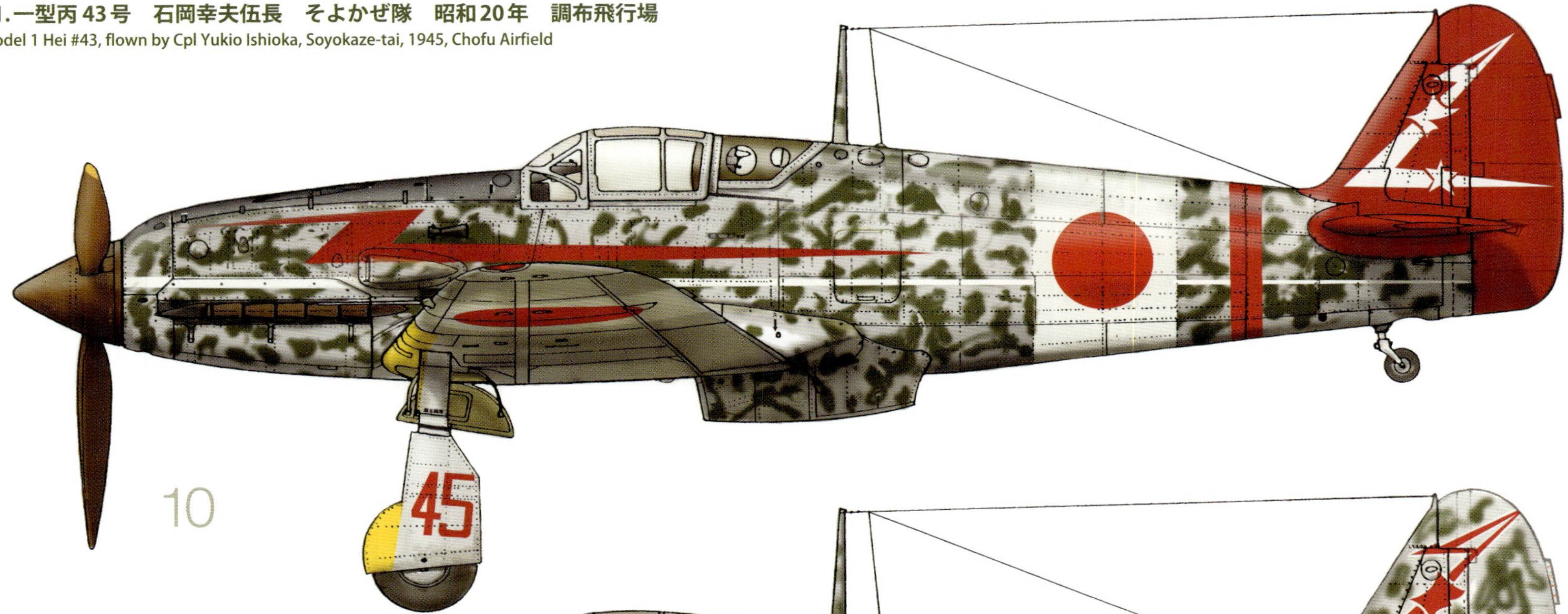

10

11

NOTE：写真では、43号 (11.) の電光の赤い部分に、迷彩が吹かれたように見える。白フチは、迷彩でつぶれた電光を目立たせるために、後から塗られたと判断した。胴体の赤帯も電光と同じく迷彩で消えたため、白帯を上塗りしたように見える。このように迷彩が雑なのは、基本的に無塗装だった244戦隊の三式戦に、昭和19年12月17日夜、下達された「19日朝、浜松へ転進せよ」との命令により、戦闘機用掩体のない浜松飛行場を考慮した対空襲対策としての迷彩が急きょ、実施されたからである。この際、わずか1日強で約30機に塗装する必要が生じたが、昼間は邀撃と整備が優先したため、塗装作業は夜間、しかも灯火管制下で実施せざるを得ず、また整備隊自身も一部が鉄道で先行してしまい、本隊も移動の準備に追われるため、一時的に極端な人手不足となった。その結果、塗装作業の多くは動員学徒などの素人作業手によって実施されたと考えられ、本来消すべきではない防空識別帯まで塗りつぶしたり、パターンの異なる様々な迷彩の三式戦が誕生することとなった。

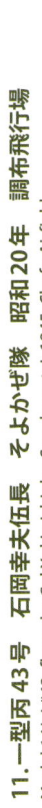

一型丙 43 号　上面図
Model 1 Hei #43, Top View

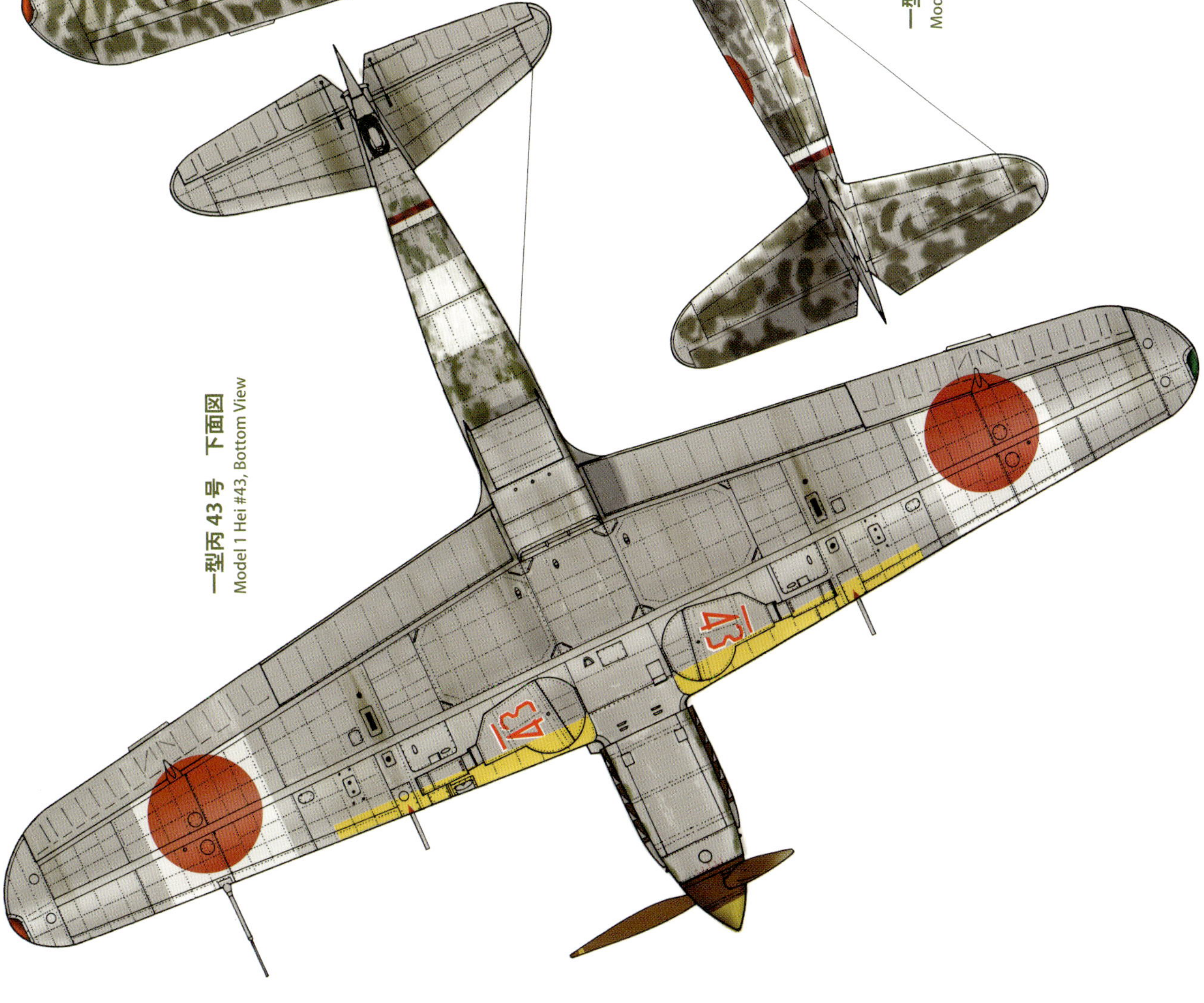

一型丙 43 号　下面図
Model 1 Hei #43, Bottom View

12. 一型丁 5262 号　板倉雄二郎少尉　本部小隊　昭和 20 年 3 月 19 日　調布飛行場
Model 1 Tei #5262, flown by 2nd Lt. Yujiro Itakura, HQ Unit, March 19, 1945, Chofu Airfield

13. 一型丁 5262 号　小林照彦大尉　本部小隊　昭和 20 年 4 月　調布飛行場
Model 1 Tei #5262, flown by Capt. Teruhiko Kobayashi, HQ Unit, April 1945, Chofu Airfield

12

13

NOTE：62号の尾翼マーク（12.）（13.）も含め、戦隊マークは本来、戦隊長機のマークのみ大きめに描かれ、他の機体などには一回り小さく描かれていた。3月19日の写真では、62号（12.）の迷彩効果を高めるために塗りつぶされた胴体白帯が、うすく見えている。落下増槽には、撮影用の演出として必勝祈願と機付兵の名前が記されていた。

CONTENTS

目 次

第一章 菊池俊吉氏撮影による三式戦

The IJA Hien through the lens of Shunkichi Kikuchi

H0631：昭和20年2月23日（推定）関東平野から東京湾上で敢行された、そよかぜ隊の空中撮影。飛行隊長機は天蓋を閉め、僚機は寒風に曝されながらも天蓋を開けている。その後方に見える小原中尉機と僚機たちもすべて天蓋を全開にしている。この意味について操縦者の方に、うかがったところ、戦闘時（演習も含む）には後方の索敵がなにより肝心なため、天蓋は例外なく全開にするが、それ以外では、あくまで各人の自由とのこと。

H0631: The following air-to-air shots are of the Soyokaze-tai over the Kanto plains and Tokyo Bay, probably taken on Feb. 23, 1945.While the leader's aircraft has its canopy shut, his wingman's is open, as is that of most of the other planes in the formation as well. A former pilot explained that during combat or combat training, canopies were to be left open to make visual searches for enemy planes easier. On other flights, it was left up to the pilot.

Photo by Shunkichi Kikuchi, 1945 (**H0631**)

Photo by Shunkichi Kikuchi, 1945 (**H0587**)

H0586, H0587：荒川河口上空の編隊。荒川のとなりを江戸川が流れる。編隊は緩旋回中のようだ。いかなる場合でも編隊型の維持と僚機の跟随《こんずい》(追随の意)は、戦闘操縦者にとって必須である。とくに90度旋回の場合、編隊型の維持には、僚機は長機の反対側に位置を変えるむずかしい動作(旋回交差)が求められた。頼田克己少尉の日誌には、「長機ニ付クハ技倆ニ非ズ意志ナリ」とある。また同日誌によると、諸元による三式戦巡航速度は260～270㎞/hである。

H0586, H0587: Shots of the unit in flight over the mouth of the Ara river (Arakawa), with the Edo river (Edogawa) seen flowing next to it. They appear to be in a gentle turn. Maintaining formation and visual contact with one's wingman is essential for a fighter pilot. 2nd Lt. Katsumi Yorita observed in his diary that "keeping formation with the leader's plane requires not skill, but will."

Photo by Shunkichi Kikuchi, 1945 (**H0586**)

H0617：これらが実際の邀撃出動であれば、調布作戦室（呼び出し符合＝長門）と上空との間で度々、無線交信が交わされていたであろう。一般に、陸軍機の無線電話が実用に耐えなかったかのように書かれているが、これは誤り。吉田竹雄曹長が残した日記にも、頻繁な無線のやり取りの様子がうかがえる。交信には無線通話用の符合を使用していた。例えば「そよかぜ、そよかぜ、ながと、ながと、かもくじらひとまる（以下2回ずつ繰り返す）、みやこ東進中、からかさやっつ、たかげたはけ、終わり、送れ」といった具合だった。この交信は「調布作戦室から『そよかぜ』に命令。B-29 10機帝都上空東進中、高度8,000まで上昇待機せよ」という意味となる。

H0617: It's often said the IJA radios were useless and seldom employed, but this is incorrect. Sgt Takeo Yoshida recorded in his diary that the radios were frequently put to use. A typical transmission from "Nagato" (the radio code name for their Chofu base) would be something like the following: "Soyokaze, Soyokaze, Nagato, Nagato (all words, inc. the following were always repeated twice each for clarity), duck whales one-zero, east towards capital, umbrella eight, wear high sandals, end, over." That meant "Soyokaze, this is Nagato. 10 B-29s headed east for Tokyo. Climb to 8000 and hold."

Photo by Shunkichi Kikuchi, 1945 (**H0617**)

H0618, H0619：帝都の空の護り、鉄桶《てっとう》の陣、健在なり……と自然に口に出てきそうな光景。「鉄桶」とは防備や団結が堅固で、つけいるすきがないことのたとえ。航進隊形で関東平野を飛ぶ、そよかぜ隊。戦闘隊形となると各機間が100m近く横に広がるので、画面には入りきれない。第1小隊は生野隊長（88号）、石岡伍長（43号）、71号（操縦者不明）、16号（本来は隊長機だが、この時の操縦者は不明）の順。第2小隊は小原中尉以下、藤井伍長、松枝伍長らが定例の編組。これらの駿翼たちが、わずか半年の後には敗戦によって鍋や弁当箱に姿を変えるなど、誰が想像したろうか。

H0618,H0619: "The pride of the capital. An impenetrable wall in the sky." Photos like these inspired such slogans in their day. The Soyokaze-tai in flight over the Kanto plain. In normal formation, planes maintain nearly 100m of horizontal separation so the entire unit won't fit in the photo. Seen here, 1st Flight is is CO Shouno in #88, Cpl Ishioka in #43, an unknown pilot in #71 and #16, which is normally the CO's plane, being flown by an unknown pilot. 2nd Flight includes Lt. Obara, Cpl Fujii and Cpl Matsueda. Few would have imagined that Japan's loss would turn these proud aircraft into cooking utensils, lunch boxes and other lesser items in just six months.

Photo by Shunkichi Kikuchi, 1945 (**H0619**)

Photo by Shunkichi Kikuchi, 1945 (**H0618**)

H0621：空対空で撮られた三式戦の勇姿としては、これらが唯一といって過言ではない。当日は曇天なので、シャッターは60分の1秒程度しか切れなかっただろうが、悪条件化にもかかわらずよく撮ったものだと感心させられる。撮影機は、おそらく森下曹長操縦による標的曳航用軍偵だろう。88号機の地上で撮影された写真では外されていたベンチュリー管が、ここでは装着されていることに注目。

H0621: This shot is probably the finest air-to-air photo of a Type 3 Army Fighter in existence. The photographer was probably SgtMaj Morishita flying a recon. plane acting as a target tug. Note how the venturi tube, seen removed from #88 in a ground photo, is in place here.

Photo by Shunkichi Kikuchi, 1945 (**H0621**)

H0490：もっぱらエプロン・誘導路に利用されていた補助滑走路東端の掩体に身を隠す三式戦。写っている5機のうち、マウザー砲装備（一型丙）は1機だけで、他は甲または乙型の古いタイプ。写真を検証してみると、244戦隊の装備機には、最新タイプである丁型はごくわずかで、マウザー砲装備機も意外に多くはない。これは、補充機に中古が多かったことにも起因している。昭和19年末ごろにも、3018（初号機から18番目）という、整備隊幹部も驚くほど古い機体が補充されてきたことさえあった。中古なら、直近の立川航空廠から、すぐに補給することができ、また、三式戦は実績のない新造機よりも、使い込まれた機体のほうが信頼して飛ばすことができたからである。

H0490: A row of Type 3 Hiens hide themselves at the east edge of the backup runway. Of the five planes visible here, only one has cannons (the Model 1 Hei). The others are all older Ko or Otsu types. The most recent "Tei" type was very rare at the 244th and they had surprisingly few planes with cannons. The primary reason was that replacement aircraft were usually older types. That was because they could be brought over directly from the relatively close Tachikawa Aircraft, and tested airframes were preferred over brand-new ones that hadn't been broken in.

Photo by Shunkichi Kikuchi, 1945 (**H0490**)

Photo by Shunkichi Kikuchi, 1945 (**H0484**)

H0484：大格納庫（画面外左手）前エプロンで、そよかぜ隊の15号機が給油を受けている。その向こうは71号機。15号は藤井 正伍長の乗機と思われる。15号と給油車の後方にわずかに見える建物は防衛総司令部飛行班で、その手前には、回収された墜落機の残骸が集められている。墜落機は原則としてすべて戦隊が回収し、原因を徹底的に探求した。

H0485（p.31上），H0486（p.31下）：午前中に演習で飛んだのか、昼どきに92オクタン燃料を入れてもらう、そよかぜ隊の42号機。地上係留時の燃料タンクは、小型機空襲が日常化した昭和20年4月以降は、被弾時の炎上を防ぐために空にしていたが、このころはまだ常時満タンの原則が守られており、減った分は、すぐに補給されている。なお、本機のスピナーには白線が巻かれているが、プロペラの付け根近くにも黄色の帯が入っている。

H0485, H0486: 42 of the Soyokaze-tai gets refueled with 91-octane aviation gas. Beginning in April 1945, attacks by small American aircraft became common and aircraft were left unfueled on the ground to help prevent fires. But they were still kept topped-off at the time of this photo to facilitate quick departures. The spinner of this plane was marked with a white stripe, and yellow stripes were present near the base of the propeller blades.

H0484: Hien #15 of the Soyokaze-tai being refueled on the apron in front of the hangar. In the background is #71. Cpl Tadashi Fujii is believed to have flown #15. Between #15 and the truck refueling it one can identify some wreckage on the apron. When possible, the unit would recover the wreckage of any of their planes that went down to study the cause of the crash.

Photo by Shunkichi Kikuchi, 1945 (**H0485**)

Photo by Shunkichi Kikuchi, 1945 (**H0486**)

H0489：給油車の接近に備えて、43号機の機付兵が翼内燃料タンク注入口の蓋を開けている。この場所は東西に走る補助滑走路の東端で、滑走路端が弧を描いているのがよく分かる。右手後方に写っている百式輸送機は、防衛総司令官東久邇宮《ひがしのくにのみや》殿下の専用機と思われる。防衛総司令部飛行班は、画面外左手にあった。

H0489: The maintenance crew assigned to #43 opens its fuel caps to prepare for the arrival of the gas truck. The Type 100 Transport aircraft visible in the right background is probably the personal plane of Higashino Kuninomiya, the Supreme Defense Commander.

Photo by Shunkichi Kikuchi, 1945 (**H0489**)

Photo by Shunkichi Kikuchi, 1945 (**H0488**)

H0487（左）：43号に補給しようとする給油車の窓ガラスには、「九二」と「不凍」のステッカーが貼られている。九二とは九二揮発油のこと。陸軍機の多くは、91または92オクタン燃料で飛んでいた。

H0488：翼内燃料タンクの注入口がすでに開けられ、さらに胴体内タンク注入口も開けられようとしている。一型甲、乙、丙（本機は丙）ともに胴体内タンクは撤去されたと従来いわれてきているが、少なくとも本機は違うようだ。

H0487: The fuel truck about to gas up #43 has stickers on the windshield which read "92" and "anti-freeze." "92" referred to 91-octane aviation fuel which powered all IJA aircraft.

H0488: The wing fuel caps have been opened and this ground crewman is now working on the fuselage tank cap. The Hien Model 1 Ko, Otsu and Hei (Mk I, II and III; this aircraft is a Mk III) were said to have had their fuselage tanks removed in previous research, but that does not appear to be the case here.

Photo by Shunkichi Kikuchi, 1945 (**H0487**)

H0700：給油中のそよかぜ隊71号機。p.18～p.27にある一連の空撮写真で見ると、第1小隊の第2分隊長（3番機）として飛んでいる。本機は1型丁で、綺麗な塗装からも新造機のようだ。この当時244戦隊では、19年末頃に製造されたと思われる5262号と5276号の配備が確認されているので、あるいは本機は5271号機なのかもしれない。給油車には「東百二〇」と書かれているが、これは東部第120部隊、つまり244飛行場大隊のこと。

H0700: Here's #71 being refueled. It can be seen flying as the 3rd plane in the 1st Flight in the air-to-air shots. This aircraft is a Model 1 Otsu, so it's hardly new at the time of the photo, but its one-color scheme makes it look that way. This shot was not taken at the air field, but rather at Tachikawa Aircraft's arsenal while the plane was undergoing maintenance there. Tachikawa handled maintenance for Type 3's not only at this arsenal, but also at a facility at the north end of Chofu airfield. The Kanji markings on the rear of the truck say "East 120" for the "East area 120th Unit", which was the 244th's airfield battalion.

Photo by Shunkichi Kikuchi, 1945 (**H0700**)

H0497（右）：掩体の上から撮影された、早朝の一斉暖機運転風景。通常は、この後、昼ごろにも回すのが普通だった。画面中央、無塗装の29号機が震天制空隊佐々木少尉または頼田少尉機と思われ、その向こうが中野軍曹機16号。さらにその先が本部小隊の機体。スピナーに螺旋を描いた機体も見える。右端のベタ塗りされている機体は、震天隊の14号らしい。手前のテントは震天隊の機側控所。警報と同時に、すぐに発進できる準備をしておく「警戒戦備甲」が発令されると、操縦者はここで待機した。

H0689：そよかぜ隊の準備線で早朝の一斉暖機運転。この42号機のスピナーには白線が描かれ、後方の機体は大部を白く塗っている。他にも2色塗り分け、螺旋模様などの例があるが、これらにはとくに意味があるわけではなく、着陸してきた受け持ち機を機付兵が一目で見分け、所定係留位置へ誘導するための便法だったと考えられる。

Photo by Shunkichi Kikuchi, 1945 (**H0689**)

Photo by Shunkichi Kikuchi, 1945 (**H0497**)

H0497: Morning engine warm-ups at the 244th. The unpainted plane (#29) in the center of the photo is that of either 2nd Lt. Sasaki or Yorita, of the Shinten-tai, with Sgt Nakano's #16 behind that. Planes of the HQ wing are in the background. Some of the aircraft have spirals marked on the spinners. The one-color plane at the right edge of the photo is probably #14 of the Shinten-tai. The crude tent is a waiting area for Shinten-tai crew.

H0689: Planes of the Soyokaze-tai warming their engines in the morning. #42, in the foreground here, has a white stripe on the spinner and large white areas at the rear of the fuselage. Other examples had two-color, spiral-marked schemes, but there was no special meaning in this. One possible reason is that it made it easier for ground crew to spot the aircraft they were responsible for as they landed, and guide them to their assigned spot.

H0496 (p.40): Soyokaze-tai leader Capt. Fumisuke Shouno's #88. The venturi tube, thought to be used to power the gyroscopic gunsight, is missing, leaving only the connection exposed.

H0685 (p.41): Capt. Shouno's plane makes for the runway in the morning sun. He's not wearing his oxygen mask, so this is probably a test flight or other low-level excercise. Though the plane is seen unpainted here, the ailerons show evidence of prior camouflage, that which was marked from late Dec. 1944 to Jan. '45. This plane got camouflage again in March, and that same scheme can be seen on it in post-war photos as well.

Photo by Shunkichi Kikuchi, 1945 (**H0496**)

H0496：そよかぜ隊長の生野文介大尉乗機88号。ジャイロ式照準器駆動用と推定されるベンチュリー管の本体が外され、バキューム系の配管だけが見えている。写真H0621 (p.26) で見られるように同機の空中撮影ではベンチュリー管が装着されているので、この写真では、機密保持のために外しているものと思われる。

H0685 (右)：早朝の陽を浴びて滑走路へと向かう、生野大尉機。はるか遠方には、朝日に輝く富士が。彼は酸素マスクは着装していないので、試験飛行なのか、低空での飛行しか予定されていない。撮影時点での本機は無塗装だが、エルロンには昭和19年12月下旬から昭和20年1月にかけて迷彩が施されていた名残があるので、時間整備の際に迷彩が落とされたと推察される。迷彩は空気抵抗を増やして速度を数km/h低下させたので、操縦者からは嫌われた。本機は3月に入ると再び斑迷彩が実施され、敗戦後の写真にも、その姿が認められている。

Photo by Shunkichi Kikuchi, 1945 (**H0685**)

Photo by Shunkichi Kikuchi, 1945 (**H0515**)

H0514（右）：滑走路（画面外左手）中ほどのそばにあった震天制空隊の準備線。離陸すべく14号に乗り込んだ板垣政雄軍曹らしい操縦者が酸素マスクを着けようとしている。

H0515：いざ、誘導路から滑走路に向かう震天制空隊の14号機。本機は板垣政雄軍曹の乗機と思われる。震天隊解散後は、主に戦隊長僚機を務め、板垣軍曹の終戦時飛行時間は740時間だった。

H0514: The machines of the Shinten-tai warm their engines just before beginning to taxi. That appears to be Sgt Masao Itagaki preparing to secure his oxygen mask on board #14.

H0515: #14 heads for the runway. Following dissolution of the Shinten-tai, Itagaki primarily flew wingman for his unit's CO, and at war's end had about 740 total hours in the air.

Photo by Shunkichi Kikuchi, 1945 (**H0514**)

14

H0520：板垣軍曹機に続いて中野松美軍曹の16号機、さらに佐々木鐵雄少尉、賴田克己少尉機(いずれも無塗装、空中線支柱撤去)が滑走路へと向かう。16号は一型甲で全武装を撤去しており、風防下には体当り撃墜2、通常撃破1、計3個のマークが認められる。板垣軍曹と中野松美軍曹は、B-29に2度体当りして生還した強運の持ち主であり、二人とも戦隊のスター的存在だった。この功績で両者は武功徽章を2度授与され、他の同期より2ヵ月早く進級した。

H0520: Another train of Tonys heads for the runway, with Sgt Itagaki in the lead, followed by Sgt Matsumi Nakano in #16, 2nd Lt. Tetsuo Sasaki and 2nd Lt. Katsumi Yorita. All of these planes are unpainted and have their aerials removed. #16, a Model 1 Ko, has all its armament removed. Under the cockpit are two air ramming kill marks, and one normal kill mark. Both Sgt Itagaki, the pilot of #14, and Sgt Nakano were extremely lucky men, carrying out two air ramming attacks against B-29s and with both men surviving both attacks. As a result, they both enjoyed semi-hero status within the unit.

Photo by Shunkichi Kikuchi, 1945 (**H0520**)

16

Photo by Shunkichi Kikuchi, 1945 (**H0690**)

Photo by Shunkichi Kikuchi, 1945 (**H0702**)

Photo by Shunkichi Kikuchi, 1945 (**H0521**)

H0521：まさに銀翼を輝かせて、小林戦隊長機24号と僚機の新藤仁平伍長機78号が滑走路へ。78号は、無塗装で電光が描かれた一型丁。胴体砲が確認できる。尾翼は24号と同じ赤色。新藤伍長は知覧、八日市でも戦隊長僚機を務めたが、終戦直前、八日市飛行場で殉職した。

H0690（p.46上）：離陸準備中の特操1期井出達吉少尉。彼が締めている日の丸の鉢巻は、昭和20年1月3日の浜松における邀撃戦で戦果を記録した者に授与されたものと思われる。井出少尉は昭和20年4月27日、五式戦未修飛行中、殉職した。

H0702（p.46下）：特操1期木内保司少尉。送話器だけで酸素マスクは装着していないので、試験飛行かもしれない。木内少尉は、昭和20年4月26日下達された「飛244作命第638号」によって、そよかぜ隊から第163振武隊員に任命されたが、終戦まで出撃の機会はなく、復員帰郷した。

H0521: Its unpainted wings glistening in the bright sunshine, Kobayashi's #44 rolls out, followed by Cpl Jinpei Shindou in #78. The latter's plane was a Model 1 Tei that was unpainted with the thunderbolt marking. The fuselage cannons can be seen in the photo. Shindou, who served as CO wingman in Chiran and Youkaichi was killed at the latter near the end of the war.

H0690: 2nd Lt. Tatsukichi Ide seen preparing for takeoff. The headband with the "hinomaru" marking was awarded for his aerial victories on Jan. 3, 1945. He died in a training accident in a Type 5 Fighter on April 27. Note the obviously rushed camouflage application, complete with numerous paint runs.

H0702: This is 2nd Lt. Yasushi Kiuchi. He's wearing only his radio mic, not the oxygen mask so it's probably preparation for a training mission. Kiuchi was named for "kamikaze" duty with the 163rd Shinbu-tai on April 26, but fortunately for him, the end of the war arrived before it was his turn to fly out, and he was able to return home safely.

52

H0519：本部小隊の第1分隊（24号、78号）に続いて第2分隊の2機が滑走路へ向かう。当時の第2分隊は板倉少尉と松本少尉と思われる。52号は翼内砲撤去、胴体砲のみ搭載。後方の4番機は尾翼が赤く、空中線支柱は撤去、スピナーには螺旋模様がある。マウザー砲を装備している。

H0519: Following the HQ wing #1 flight (#24 and #78), #2 flight heads to the runway. At this time, the #2 flight was probably 2nd Lt. Itakura and 2nd Lt. Matsumoto. #52 has its wing cannons removed, leaving only fuselage armament. The fourth plane behind it has a red tail fin, lacks an aerial, has the spiral marking on the spinner and mounts wing cannons.

Photo by Shunkichi Kikuchi, 1945 (**H0519**)

Photo by Shunkichi Kikuchi, 1945 (**H0503**)

H0503：富士を背に、そよかぜ隊の71号機とおぼしき三式戦が離陸する。演習なら分隊（2機編隊）離陸が普通なので、試験飛行だろうか。滑走路南端でもこの高度だから、三式戦は1,000m滑走路をフルに使って離陸していたことが分かる。頼田克己少尉の日誌にも、「三式戦ハ非常ニ重イ事、及浮カナイ事ヲ銘肝シ、失速ニ関シ厳ニ心セヨ。離陸ハ胴体下面水平マデ機首ヲ抑へ、速度ヲ付ケ離陸スベシ。飽クマデ自然浮揚」との教官注意が書き込まれている。

H0510（左）：早春の陽を浴びながら、小林戦隊長の4424号機が北向きに離陸して行く。本機が無塗装で運用されていたのは約1ヵ月の間だけで、3月に入るとすぐに斑迷彩が実施された。望遠レンズのために多摩丘陵が迫って見える。

H0503: With Mt. Fuji in the background again, Hien #71 of the Soyokaze-tai takes off on what appears to be a solo flight. Training flights were always in pairs of aircraft, so this may be some kind of test.

H0510: Ground crew salute as Kobayashi takes off in #4424 in the early spring. This plane was only left unpainted for a one-month period. By March it sported a camouflage pattern.

Photo by Shunkichi Kikuchi, 1945 (**H0510**)

Photo by Shunkichi Kikuchi, 1945 (**H0506**)

H0504(左)：菊池氏の135㎜望遠レンズが捉えた富士と離陸していく三式戦。調布飛行場から望む富士は、じつに美しく、空の勇士たちはこの姿に敵機必墜、そして必勝を誓った。さびしいことだが、今日では巨大建造物が壁となって立ちはだかり、この風景は写真の中だけのものになってしまった。

H0506：滑走路の真上、超低空で急旋回を披露する生野大尉機88号。撮影のためのサービスと思われるが、速すぎてさすがの菊池氏も写し止められなかった。

H0504: Another Hien takes of with Mt.Fuji in the background. During clear weather, particularly during the winter months, the mountain is clearly visible from Chofu and the men of the unit would frequently pray to it for victory against their enemies.

H0506: Capt. Shouno puts his #88 into a low, tight turn over the airfield.

Photo by Shunkichi Kikuchi, 1945 (**H0504**)

H0501：白く輝く富士と三式戦の取り合わせ。写真のH0503（p.51）、H0504（p.52）で分かるように撮影時は南風なので、この三式戦は着陸後、向きを変えて自機の係留位置へ戻ろうとしているのだろう。整備兵たちが走り寄ろうとしているのは、立ち往生でもしたからなのか？

H0501: A fine photo of a Type 3 and Mt. Fuji. So why are the ground crew running towards the plane? Engine problems?

H0537 (p.56): Planes of the Soyokaze-tai on the apron. From the right are nos. 43, 89, 42 and 71. #89 in the foreground is a Model 1 Hei, but a ground crewman is preparing to fuel the fuselage tank, lending further evidence to the notion that these tanks were not, in fact, removed as previous research has suggested. Note the empty (?) oxygen bottle that has been tossed to the ground. At this point, the planes of the 244th were almost never stored in the open due to the risk of air attack; their exposed positions here are probably another request from an official photographer.

H0538 (p.57): A fine overview shot of the flight line taken from the roof of the HQ building. The unpainted #29 of the Shinten-tai at the left of the photo was flown either by 2nd Lt. Sasaki or Yorita. Sgt Nakano's #16 is visible at the right side. The six planes in a triangular formation appear to be those of the Toppu-tai, but the photo is a bit blurry, and only #70 (right edge, third row) and #20 (left edge, third row) can be ID'd for certain.

Photo by Shunkichi Kikuchi, 1945 (**H0501**)

Photo by Shunkichi Kikuchi, 1945 (**H0538**)

H0537：補助滑走路（エプロン）に並べられた、そよかぜ隊の駿翼。右手から43号、89号、42号、71号と並ぶ。給油中の一型丙89号では、機付が胴体内タンク給油口を開けている。胴体内タンクは、本機でも撤去されていないようだ。また、地面には使用済みの（？）酸素ボンベが転がっている。この当時は空襲警戒のため、調布では飛行機を掩体から出してエプロンに並べることは通常なく、これは撮影用の「絵作り」と思われる。

H0538（左）：戦隊本部屋上からの俯瞰撮影。写っている掩体4基が震天制空隊用で、無塗装の29号は佐々木少尉か頼田少尉いずれかの乗機と推察される。右端には中野軍曹機16号が見える。滑走路脇に三角に並ぶ6機は、とっぷう隊の機体と思われるが、やや鮮明さを欠き、機番は70号（3列目右端）と20号（同左端）が確認できるだけ。滑走路を越えて、はるか遠方には、独立飛行第17中隊（東部第122部隊）の格納庫と営舎、その先には多磨霊園の森が見えている。

Photo by Shunkichi Kikuchi, 1945 (**H0537**)

Photo by Shunkichi Kikuchi, 1945 (**H0526**)

H0525（右）：操縦者が搭乗したままで「戦闘の合間、給油のために着陸……」という雰囲気の、そよかぜ隊10号機。しかし、撮影当時は空襲等ないので、これは演出。

H0526：H0525と同じだが、車輪止が翼上に置かれているのは、ここまで人力で転がしてきた証拠。この写真では給油車の保温カバーが「むしろ」製だということが、よく分かる。

H0525: The pilot of #10 of the Soyokaze-tai is portrayed staying on board his plane during this staged refueling photo.

H0526: The wheel chock on the wing betrays that this aircraft was almost certainly pushed into this location by human power. Note the quaint, woven straw engine warmer for the fuel truck.

Photo by Shunkichi Kikuchi, 1945 (**H0525**)

10

Photo by Shunkichi Kikuchi, 1945 (**H0527**)

H0527：通常、戦闘整備は4名での作業が基本で、1機に同時にこれほどの人数が取り付くことはない。しかも、給油以外の人員は何の作業をしているのか判然としない。これは、「給油の間に行われる緊急整備」とのシナリオに基づく演出。

H0528（右）：H0525（p.59）、H0526（p.58）、H0527と同様。従来、一型甲～丙までは、すべて撤去（丁は別）したとされてきた胴体内タンクにも給油しようとしている。今回、改めて操縦・整備隊員諸氏にうかがったところ、おおよそ、確かに使っていた（飛行中切り換えていた）との意見と、積んではいたが使わないことになっていた（とくに戦闘では）との意見に分かれた。いずれにしても、撤去されていなかったことは確かである。またこの写真では、空中線が支柱から右水平安定板に向けても張られていることが分かる。なお、下面が黒く塗装されたように見えるのは、ぬかった泥がプロペラ後流で跳ね上げられたもので、塗装ではない。これを落とさなければ、離陸できない。

H0527 (P.60): This staged photo stretches the limits of credibility. Each aircraft was generally serviced by a fixed team of four men; no plane ever got this much attention! What's more, one would be hard pressed to identify just what each of those men were supposedly doing to the plane.

H0528 (P.61): Here's another shot which shows a Hien Model 1 having its fuselage tank refueled. Except for the Tei, all Model 1s supposedly had the fuselage tank removed. Our research, in which we asked surviving pilots and ground crew who worked on the Type 3, produced two opinions: "We used it (switched to it in flight)" and "It was mounted in the plane but unused (especially on combat missions)." In either case, it's clear that the tank was not removed from the plane. Note the aerial line running to the right horizontal stabilizer. What appears to be black paint on the rear underside of the fuselage and tail is not paint, but mud thrown onto the plane by the propeller wash. This would be washed off before takeoff.

Photo by Shunkichi Kikuchi, 1945 (**H0528**)

H0530： じつに多くの整備兵によって移動される、そよかぜ隊の16号機だが、これも不思議な光景。このような平坦な舗装面なら、わずかの人数で動かせるのに。また、移動中にもかかわらず、主翼上の2名の整備兵は何やら作業を続けており、緊急の作業だとする撮影意図が隠されているようだ。鉄帽を背負っている兵が目立つが、現実には定員分の鉄帽は備えられていなかった。

H0530: Here's #16 of the Soyokaze-tai, being pushed by far more men that would normally be necessary to move the plane on a well-finished surface like this. What's more, two men are "working" on something while standing on the wings of the plane being moved; apparently the photographer wanted to introduce an element of urgency into the scene. A number of the men in the shot have steel combat helmets at the ready, but this was seldom seen and there were not enough to go around anyway.

Photo by Shunkichi Kikuchi, 1945 (**H0530**)

H0531：これは、なんとも言いようのない風景。尾翼付近では兵が機体を押しており、まだ停止していないのに、操縦者もすでに乗り込んでいる。また不思議なことに、操縦席または主翼付け根付近に白煙が漂っている。エンジン始動時ならともかく、人の配置からして絶対に始動ではない。白煙は機関砲発射時の硝煙のようでもあり、主脚付近の兵が身をすくめているかのようにも見えるのだが、果たしてこんなことがあるのだろうか？

H0531: Yet another mysterious photo: Although the pilot is already on board, men near the tail appear to be continuing to push it. What's more, there seems to be some kind of white smoke present in the vicinity of the wing roots and cockpit. From the position of the men here, there's no way the pilot would be attempting to start the engine. It does resemble the smoke generated with the cannons are fired... And just what is that man crouching near the gear cover supposed to be doing?

Photo by Shunkichi Kikuchi, 1945 (**H0531**)

16

Photo by Shunkichi Kikuchi, 1945 (**H0532**)

H0532, H0534: While this may appear to be a propeller replacement operation on #15 (or at least that may be what the photographer wanted to portray), a former mechanic for the unit explained that this is, rather, grease being applied to the variable-pitch mechanism's counterweight via a long pump and hose assembly. In an actual propeller replacement, the work would be done in the hangar with the aircraft tail hoisted in the chain block to level the aircraft. What's more, the replacement propeller would be held in a special cart until needed, not tossed on the ground as seen here.

H0532, H0534：15号機の「プロペラ交換」を思わせる光景。しかし、整備隊員諸氏に見せたところ、即座に否定された。これは、可変ピッチ機構の重錘（カウンターウェイト）に、長い筒状のポンプでグリースを注入しているだけだ、とのこと。実際のプロペラ交換は、通常、格納庫内のチェーンブロックを用い、かつ機体を水平にせねば実施できない。また、外したプロペラは、架台（三叉）に設置するように決められており、このように地面にゴロンと置くようなことはしないそうである。

Photo by Shunkichi Kikuchi, 1945 (**H0534**)

Photo by Shunkichi Kikuchi, 1945 (**H0495**)

H0495：調布飛行場の東側、東京天文台下の国分寺崖線を利用して昭和19年に造成された射垜《しゃだ》（射撃場）の上から撮影した07号機。この場所は、現在の三鷹市立第七中学校の西側崖下にあたる。画面の後方に見える建物は、九五式三型練習機を製造していた倉敷飛行機調布工場の一部。射垜との間は水田で、中央付近に野川が流れている。昭和20年9月4日の占領時、ここには多数の日本軍機が詰め込まれ、何機もがこの水田や野川に転落した。

H0679（右）：他の写真も総合すると、人物の中には10名の操縦者が写っている。撮影のために、そよかぜ隊総動員の様子。本機の尾翼マークは、浜松への転進時に急きょ、実施された応急迷彩によって、ほとんど隠されてしまっている。

H0495: Here's Tony #07 undergoing gun alignment. The buildings in the background are part of the Chofu assembly factory for Kurashiki Aircraft, which built the Type 95 Model 3 Trainer. The Nogawa river can be seen flowing through the rice paddies between the gunnery range and the factory. When the occupation began in September 1945, many aircraft were unceremoniously dumped in this field and many fell into the Nogawa river.

H0679: Every member of the Soyokaze-tai was rounded up for this photo, including all 10 pilots. The unit's marking on the tail fin has been nearly obscured by the hastily-applied camouflage done when the unit moved to Hamamatsu.

Photo by Shunkichi Kikuchi, 1945 (**H0679**)

H0672：尾部を水平に持ち上げられた、そよかぜ隊の07号機。本機は、尾輪カバーは外されているが、尾輪の根本付近の胴体が開口しているので、尾輪引き込み式の初期型（一型甲）と思われる。したがって、新造時からマウザー砲を搭載していた一型丙ではなく、すでに配備されていた機体にマウザーを後付けした例のようだ。

H0677 (p.72)：操縦者は、ことごとく高性能なドイツ製のマウザー砲を装備した機体に乗りたがったものだが、この時期には、すでに補給が絶え、消耗も多かったせいなのか、写真で見る限り、装備機は多くはない。廃用になったマウザーの砲身を利用して始動転把《しどうてんぱ》（クランクハンドル）を作ると、具合がよかったそうだ。

H0674（P.73中）, H0676（P.73上）：もう少しアングルを変えて撮影すれば、操縦席内部がよく分かるのに……と、思ってしまう。当時、計器板や照準器は軍事機密として堅く守られており、菊池氏の撮影も機密に触れないよう、軍人のきびしい監視を受けていたはずだから、これは無理な相談かもしれない。

H0675（P.73下）：ホ103 12.7㎜機関砲の一部が写っている。この機体は胴体砲と翼内砲、すべてを搭載している。244戦隊の写真を検証してみると、このような機体の存在は多くなく、胴体砲のみ、または翼内砲のみの機体が目立つ。吉田竹雄曹長の日記によると、胴体砲1門のみの機体さえあったという。これは、限界に近い高々度では、個々のハ40の出力に顕著な差が現れるため、搭載武装の門数（重量）によって上昇限度を平準化したためである。したがって、4門搭載のままで運用された機体のハ40は、高々度でも出力低下が比較的少なかったということかもしれない。

Photo by Shunkichi Kikuchi, 1945 (**H0672**)

Photo by Shunkichi Kikuchi, 1945 (**H0677**)

Photo by Shunkichi Kikuchi, 1945 (**H0676**)

Photo by Shunkichi Kikuchi, 1945 (**H0674**)

Photo by Shunkichi Kikuchi, 1945 (**H0675**)

H0678：弾着の標的に使われているのは、墜落した三式戦の主翼端。日の丸の一部も確認できる。

H0672 (p.70): Here's #07 of the Soyokaze-tai with its tail up to level the aircraft. The tail gear covers have been removed, but since there's a hole in the fuselage near the base of the tail gear strut, this aircraft is almost certainly a Model 1 Ko. That means that it was not built with the cannons in place, but had them retrofit.

H0677 (p.72): Perhaps the pilot of this particular aircraft was adamant about flying one with cannons installed, but by the time of this photo they were becoming relatively rare.

H0674 (p.73), H0676 (p.73): Some fine close-ups which leave one wishing the photographer had just changed the angle slightly to give us a great view of the cockpit interior... Unfortunately, at the time, cockpit details were a strictly guarded military secret and no photographs would have been allowed anyway.

H0675 (p.73): Part of the Ho-103 12.7mm MG assembly is visible here. While this aircraft boasts armament in both the wings and fuselage, that seems to be the exception; most photos show planes with one or the other only. SgtMaj Takeo Yoshida's diary makes reference to planes with only a single MG in the fuselage as well. The reason for this was to average out the operational ceiling of individual aircraft; at high altitudes, individual examples of the Ha-40 powerplant had slightly different power outputs, and they could overcome the lower performance of some units by lowering the weight. So #07 no doubt had a good motor that lost little power at the upper altitudes.

H0678: The target being used is the wingtip from a crashed Type 3. Part of the "hinomaru" national insignia can be identified.

Photo by Shunkichi Kikuchi, 1945 (**H0678**)

07

H0680：マウザー砲発射の瞬間。左から5人目の飛行服姿は、そよかぜ隊々長生野大尉らしい。昭和19年9月まで244戦隊先任飛行隊長だった村岡英夫氏は手記の中で、初めてマウザー砲を使用したときのことを「スイッチを入れると瞬時にして装塡が終わる。短い連射を実施すると、パンパンと軽やかな発射音を残して、きわめてスムースに発射される。発射の反動が機体におよぼす影響はきわめてすくない……」と記している。

H0680: The cannons being fired. The man fifth from the left in flight gear appears to be the unit's CO, Capt. Shouno. Hideo Muraoka, who was a squadron CO with the 244th through September 1944 wrote of the cannons, "arming finishes almost as soon as the switch is flipped. Firing a short burst results an extremely smooth firing action that produces quick, light pops. The recoil has very little effect on the airframe."

Photo by Shunkichi Kikuchi, 1945 (**H0680**)

H0693, H0694：そよかぜ隊の隊長僚機、石岡幸夫伍長（H0694の画面内飛行服姿）の愛機43号。防空識別の白帯にまで迷彩がスプレーされている。また、胴体後部帯は元々赤だったのが迷彩によって隠れたたため、改めて上から白を塗ったように思われる。迷彩実施は昭和19年末、浜松への転進の際に急きょ、下命されたもので、たった1日で30機に塗装せねばならなかったから、雑な仕事にならざるを得なかった。脚カバー数字の上に横棒が描かれているが、これは同隊内で同番号が発生した場合の識別用と考えられる。今まで本機については小林戦隊長機だとか竹田大尉機だとか想像で書かれているが、いずれもまったくの誤り。

H0693, H0694: Here's Cpl Yukio Ishioka (in flight gear near the nose), the Soyokaze-tai's CO wingman and his plane, #43. Even the white tactical recognition markings have been oversprayed with camouflage. What's more, the stripe at the rear appears to have been so obscured by camouflage that it was later remarked. The order to put camouflage on the planes came down together with the orders to move the unit to Hamamatsu, and they needed to paint 30 aircraft in one day, hence the obviously hurried work. The horizontal bar over the number on the gear cover is believed to have been used to distinguish aircraft when the same s/n was on more than one plane in the unit.

Photo by Shunkichi Kikuchi, 1945 (**H0694**)

Photo by Shunkichi Kikuchi, 1945 (**H0693**)

Photo by Shunkichi Kikuchi, 1945 (**H0698**)

Photo by Shunkichi Kikuchi, 1945 (**H0699**)

Photo by Shunkichi Kikuchi, 1945 (**H0697**)

H0697, H0698（p.80上）, H0699（p80下）：整備兵が担いできた酸素ボンベ2本を、43号の点検口から積み込もうとしている模様。酸素ボンベが搭載されていたことは確かだが、244戦隊では軽量化のために、本来2本のボンベを1本に減らし、その代わり酸素発生剤を併用したとも聞く。しかし、改めて隊員諸氏にうかがったところ、ボンベだけで発生剤は使っていなかったという証言もあり、確認はできなかった。酸素の使用は操縦者が操作する必要はなく、高度3,000mを越えたところで、自動的にマスクから吐出される仕組みになっていた。

H0697, H0698 (p.80), H0699 (p.80): A series of photos which suggest two oxygen bottles being loaded aboard #43. While there's no question that the unit's Hiens carried oxygen, in the 244th it has generally been reported that they only carried one, and used an oxygen generating agent in place of the second to save weight. Some former pilots had no recollection of the use of such an agent, however. There was no need for the pilot to adjust or manipulate anything; the oxygen flow would begin automatically at altitudes over 3000 meters.

Photo by Shunkichi Kikuchi, 1945 (**H0556**)

H0552（右）：生野大尉乗機16号に撃墜マークを描き入れているかのような写真。翼上左端は松枝伍長、右端は松本伍長、その左、本多軍曹（3名とも戦没）。じつはこのマークは、昭和20年2月初めまでに浜松で、すでに描き込まれており、この写真も明かな演出である。

H0556：同じく描き入れるポーズをとる、松枝友信伍長。過去、同じ写真には、この人物が前田 滋少尉であるとされていたが、それは誤り。右端は藤井 正伍長。

H0552: A photo meant to give the impression that kill marks are being painted on Capt. Shouno's aircraft. Cpl Matsueda is at left up on the wing, with Cpl Matsumoto at the right side and Sgt Honda to his left (all three men KIA). These markings were already on the plane as of February 1945, so this is definitely a staged photo.

H0556: Here Cpl Tomonobu Matsueda takes his turn pretending to be painting kill marks. This photo has previously appeared elsewhere with Matsueda misidentified as 2nd Lt. Shigeru Maeda. At the far right is Cpl Tadashi Fujii.

Photo by Shunkichi Kikuchi, 1945 (**H0552**)

H0463, H0464（**p.86**）：大雪で飛べない日でも地上訓練は欠かさない……とでも、一連の写真の企画者は言いたいのだろう。B-17の模型を目標にした照準練習風景。地面には、照準器内部照明の電源としてバッテリーが置かれている。左から木内保司少尉、松本順二伍長、松枝友信伍長、笹木鉄雄曹長、小川 清少尉、井出達吉少尉（後ろ姿）。

H0463, H0464 (p.86): Training in the use of the relatively new gyroscopic gunsight using a B-17 model. Note the battery on the ground to power the sight. From the left are 2nd Lt. Yasushi Kiuchi, Cpl Junji Matsumoto, Cpl Tomonobu Matsueda, SgtMaj. Tetsuo Sasaki, 2nd Lt. Kiyoshi Ogawa and 2nd Lt. Tatsukichi Ide (back to camera).

Photo by Shunkichi Kikuchi, 1945 (**H0464**)

Photo by Shunkichi Kikuchi, 1945 (**H0463**)

H0474（p.87下）, H0478（p.87上）：写真のモデルに選ばれたのは、少年飛行兵13期松枝友信伍長。彼は、小原伝《つとう》中尉の僚機として活躍、昭和20年2月19日には、単独でB-29 1機を撃墜し、代々木練兵場に不時着したその足で四谷第七国民学校の墜落現場を訪れている。戦隊長僚機に代わったばかりの昭和20年4月7日、P-51に撃墜され、世田谷区喜多見の多摩川原で戦死を遂げた。

H0474, H0478: Cpl Tomonobu Matsueda stares through the gunsight. He generally flew alongside Lt. Tsutou Obara. On Feb. 19, 1945 he single-handedly brought down a B-29. His plane was damaged in the attack and he crash-landed it near Yoyogi in Tokyo, then travelled on foot to the B-29 crash site in Yotsuya to inspect the kill for himself! On April 7, shortly after being designated as the squadron CO's wingman, he was shot down and killed by a P-51 over Tokyo's Setagaya ward.

Photo by Shunkichi Kikuchi, 1945 (**H0478**)

Photo by Shunkichi Kikuchi, 1945 (**H0474**)

H0493：「忙中閑アリ」をイメージした構図。モデルになっている71号機がベタ塗り塗装なので、なおさらシルエットが美しく際だっている。2名の整備兵は絵作りのために協力させられていると思われる。行われている野球の模様は、もちろん撮影用の演出だが、244戦隊では昭和19年秋ごろまで、リクリエーションとして実際に野球が行われていた。

H0493: Two posed photographs. Hien #71 seen here had a one-color scheme, so it made for a great silhouette. Both the mechanics on the plane's nose and the baseball game on the tarmac are there solely for the camera's benefit. From the fall of 1944, the men of the 244th did in fact play baseball relatively often, however.

Photo by Shunkichi Kikuchi, 1945 (**H0493**)

H0522：「出動が下命されて愛機へ走る勇士」という構図。もちろん、これは演出である。画面の右に震天制空隊の機側控所が見えている。後方にある掩体から機首の一部を覗かせているのは、小林戦隊長機24号のようだ。

H0522: The order to scramble has been given and the hero rushes to his plane...but of course this is a staged photo. About halfway down the line, one Hien's nose is just visible. That appears to be Kobayashi's #24.

Photo by Shunkichi Kikuchi, 1945 (**H0522**)

第二章 244戦隊勇士のアルバムより

Album of Heroes: The 244th Sentai

1

写真1：浜松三方ヶ原飛行場の準備線。写っているのは本部小隊とそよかぜ隊の並び。手前から24、45、44号までが本部小隊。さらに07、80、16と、そよかぜの機体が続く。小林戦隊長機24号の撃墜（撃破）マークはまだ1個だけなので、昭和20年1月9日以前の撮影。浜松飛行場は気候はよかったのだが、三式戦にとっては強風が難で砂ぼこりもひどく、鈴木伍長は「浜松ハ風ガナケレバ良イ所デアルガ、地上滑走デ、シンガ疲レル」と日誌に記している。

Photo 1: Planes stationed on line at Mikatahara airfield, Hamamatsu. The planes seen here are with the HQ wing, and the Soyokaze-tai. #24, 45 and 44 in the foreground are of the HQ wing, while those further back are with Soyokaze. Taken Jan 9, 1945.

Photo 2 (p.94): Cpl Seiichi Suzuki (extreme right) seen with Kobayashi in front of #4424 while the latter engages in conversation with Hamako Watanabe (a famed singer) and others who paid a visit to the unit. Some kind of tape has been used to cover the cannon muzzles.

Photo 3 (p.95): Here's Kobayashi, back on flying duties after surviving his air ramming attack. Note the scar still visible on his nose. Behind him is #4424. Following the war, Teruhiko Kobayashi worked for a paper company, and in September of 1954 entered the Japan Air Self-Defense Force's officer training school as an instructor, completing his return to the skies. Following teaching with T-6s and T-33s, he travelled to the US for six months beginning in November 1955. There, he learned to fly the F-86. Back in Japan, on June 4, 1957, Kobayashi was killed in a training flight when his T-33 crashed immediately after takeoff. He was 36 and had roughly 2,000 hours in the sky.

2

Photo 4 (p.96): CO Kobayashi prepared to leave Chofu in #4424. The kill markings show the plane he got on Dec. 22, 1944. Cpt. Teruhiko Kobayashi was born in Tokyo in 1920. He graduated from the Army Military Academy in its 53rd class and transferred his major from artillery to light bomber piloting. After stints with the 45th and 66th Sentais, he moved to fighters in Nov. 1943. After serving as a cadet with the Ko-Shu unit, he became an aviation instructor with the Military Academy during the 57th class. In Nov. 1944, at just 24 years old, he became the youngest man ever given a sentai command when he took over the 244th and started what was to be a distinguished career there.

Photo 5 (p.96): Kobayashi's #4424 seen in early February 1945. The air ramming kill mark has just been added. At Hamamatsu in early January the plane can be seen with a camouflage scheme, so this was no doubt stripped during maintenance and replaced with the red stripe. #4424 was down for maintenance on Jan. 27, and Kobayashi is believed to have used #3295 to ram the B-29.

Photo 6 (p.97): This is 244th CO Kobayashi's #3295. This aircraft is believed to have been held as a spare at Chofu when the unit moved to Hamamatsu. It displays kill markings for his two scores through Jan. 9, 1945. The venturi tube probably was used to power the gyroscopic gunsight, which had finally been refined enough to be practical in actual combat.

Photo 7 (p.97): Here's Kobayashi and #24. He's not wearing a winter uniform, so this photo was probably taken in March or April of '45. The aerial running from the mast to the right horizontal stabilizer is set up just like the Type 4 "Hi" Model 3 radio in the Type 4 Fighter. A number of photos from the 244th show aircraft with their antenna masts removed to save weight, lowering the length of the aerials. With the old Type 99 "Hi" Model 3 radios, reception was no doubt greatly harmed by such a move, but the newer Type 4 probably fared much better.

写真2：昭和20年2月10日、4424号の前で渡辺はま子らの慰問団と歓談する小林戦隊長と鈴木正一伍長（右端）。翼内砲の砲口はテープ状のもので塞がれている。渡辺はま子らは、1月19日浜松でも慰問を行っているので、これが2度目。この慰問団に作曲家古関裕而が加わっていたことが、3月1日「飛燕戦闘機隊々歌」の発表につながる。

写真3：体当りの生還から間もない、昭和20年2月初めごろの小林戦隊長。鼻柱にまだ傷が残っている。後方は4424号機。小林照彦氏は戦後、製紙会社員を経て昭和29年9月、航空自衛隊幹部学校に入校、空への復帰を果たした。その後、松島（T-6）、築城（T-33）を経て昭和30年11月から約半年間の米国留学。その間F-86戦闘機の操縦を習得した。帰国後、教官勤務に就いていた浜松で、昭和32年6月4日午前、T-33に搭乗して離陸の直後、機体が墜落炎上して小林3等空佐は殉職を遂げた。享年36歳。生涯飛行時間は、約2000時間であった。

写真4（p.96上）：調布基地から4424号で出撃準備中の小林戦隊長。撃墜マークは昭和19年12月22日の1機撃破を示すので、この後、昭和20年1月9日までの間に撮られたもの。小林照彦大尉は、大正9年東京生まれ。陸軍士官学校53期卒後、砲兵から軽爆操縦に転科。45戦隊、66戦隊を経て、昭和18年11月、さらに戦闘に転じ、甲種学生終了後、陸士57期航空転科者の教育にあたった。この教え子数名が、後に特攻隊長として244戦隊に配属されている。そして、昭和19年11月末、満24歳、史上最年少の戦隊長として244戦隊に着任し、破天荒な活躍を見せることになる。

3

4

写真5：小林戦隊長機4424号の昭和20年2月初めごろの状態。体当りマークは描かれたばかり。1月初めの浜松では斑迷彩だったので、その後、整備を受けた際に塗装が落とされ、赤帯が描かれたのだろう。1月27日の体当りは、本機が整備中だったために、戦隊長は3295号で出撃したのかもしれない。

写真6：小林戦隊長乗機3295号。戦隊が浜松へ転進した際、本機は予備として調布に待機していたと思われる。撃墜マークは昭和20年1月9日までの2機撃破を示しており、次の戦果が1月23日なので、写真はこの間に撮られたことになる。ベンチュリー管は、当時ほぼ実用の域に達していたとされるジャイロ式照準器（見越し射撃を不要とするもの）の駆動用と推定される。

5

写真7：飛行服が冬物ではないので、おそらく20年３月末～４月はじめ頃の撮影と思われる、小林戦隊長と4424号機。空中線（アンテナ）が支柱から右水平安定板に向けて張られているが、これは四式戦に搭載された四式飛三号無線機と同じ展張法である。244戦隊では、軽量化のために空中線支柱を撤去（空中線長も実質短縮）した機体も、めずらしくなかったが、この場合、旧式の九九式飛三号のままでは通話性能は大幅に低下してしまったと想像され、これも高性能の四式飛三号に換装されていればこそ、可能だったのではなかろうか。

6

7

24

8

写真8：昭和20年5月初めに撮影された小林戦隊長機4424号。機種改変を終え、戦隊長自身は、すでに五式戦に搭乗しているので、この時点では「第159振武隊長高島俊三少尉乗機」とするのがより正確である。胴体砲が撤去され、胴体の帯が赤から紺に塗り直されている。死に化粧だろうか。第159振武隊は、4月26日に244戦隊で編成されている。第159振武隊は5月28日午前8時30分、244戦隊本部横手興太郎少尉操縦の五式戦に誘導されて調布飛行場を出発、6月6日午後に知覧基地を出撃した後、16時ごろ、慶良間西方の敵艦船群に突入した。

Photo 8: This is CO Kobayashi's #4424, photographed in early May, 1945. At this point, the CO himself was already flying a Type 5 in combat, so identifying this plane as that of 159th Shinbu-tai CO 2nd Lt. Shunzo Takashima would be more accurate. The cannons have been removed and the fuselage stripe has been repainted dark blue from red. The 159th Shinbu-tai was formed in the 244th on April 26. At 8:30am, May 28th Takashima left Chofu guided by 2nd Lt. Koutaro Yokote of the HQ unit in a Type 5. On June 6th, Takashima flew out of Chiran, and at roughly 4pm he dove Kobayashi's famed mount into any enemy vessel in the waters west of the Kerama Islands, near Okinawa.

9

写真9：昭和19年末～20年1月初め、45号機の前で小林戦隊長と2代目の僚機、安藤喜良伍長。電光マークと白帯が描かれている。本機で安藤伍長は1月9日の邀撃戦で被弾し、成増飛行場に不時着した。その後、調布に回収して発動機を換装したが、時間を要したため、他機に乗換えてしまい、45号機は、みかづき隊に回された。よって1月27日の体当り時には乗っていない。

写真10：昭和20年5月初め、第159振武隊長高島俊三少尉乗機となった4424号機と小林戦隊長、整備隊本部小隊長鈴木 茂少尉との送別記念写真。14個の撃墜マークは、4月30日までの撃墜破合計戦果を示す。4424号は、戦隊長が着任当初から一貫して主用した機体で、まさに愛機といえる。なお、整備隊本部小隊は小林戦隊長着任と同時に新編されたもので、2個分隊が交互に戦隊長編隊と震天制空隊機の整備を担当した。従来からあった「整備指揮小隊」とは別の部署。

10

11

写真11：特操1期井出達吉少尉。244戦隊の三式戦から五式戦への機種改変は、小牧から陸軍航空輸送部第5輸送飛行隊によって空輸されてきた五式戦の第一陣が、4月23日に調布へ到着して開始された。井出少尉は、それから間もない4月27日朝、未修特殊飛行を実施中、立川付近で墜落殉職し、五式戦による初の犠牲者となった。

写真12：昭和20年2月ごろ、そよかぜ隊斎藤昌武少尉。後方に244戦隊本部が写っている。肩に掛けているたすきは、週番士官を表す。彼は特操1期生の中で最後まで戦闘隊に残った数少ない一人。彼は復員帰郷の際、「敗戦シ生キテ帰ル我、死シタル方ヲ喜ベリ。アヽカナエテ運命ナリ。今マデ戦死セル者、特攻隊員ニ何ヲ以テワビル。言葉ニ表ハレズ」と書き残している。

Photo 9: CO Kobayashi and his second wingman, Cpl Kiyoshi Ando seen by Kobayashi's #45, sometime in late '44 or early '45. This aircraft had the lightning bolt and white strip markings.

Photo 10: A farewell shot taken just before 2nd Lt. Shunzo Takashima, of the 159th Shinbu-tai, left for Okinawa flying 244th CO Kobayashi's #4424. That's Kobayashi at left, with 2nd Lt. Shigeru Suzuki of the maintenance unit. Kobayashi had flown #4424, seen here with 14 kill marks, since he arrived to lead the unit. The maintenance units were reorganized into two parts when Kobayashi arrived, with one unit alternately handling the main squadron, and another the Shinten-tai.

Photo 11: This is 2nd Lt. Tatsukichi Ide. The unit's switch from the Type 3 (Tony) to the Type 5 (radial engine version) started with the first air deliveries of the new type to Chofu on April 23. On the morning of the 27th, while on a test flight in the new type, he crashed and became the first man to die in a Type 5.

Photo 12: This is 2nd Lt. Masatake Saitou of the Soyokaze-tai, taken in February 1945. The 244th's HQ is visible in the background.

Photo 13 (p.102): A shot of Kobayashi's #4424 and the maintenance men of the unit shortly after the 244th moved to Hamamatsu, on Dec. 19, 1944. Some of these men were on loan from Kawasaki Aircraft. The lack of any kill markings on the plane dates this photo as prior to Dec. 22. The man in the center of the back row is Cpl Tsuchiya, head of maintenance for the plane.

Photo 14 (p.102): A photo of men from the Hagakure-tai, later to be known as the Shinten-tai taken Nov. 10, 1944. From the left is Lt. Touru Shinomiya, Cpl Masao Itagaki, Sgt Takeo Yoshida and Cpl Tadashi Abe. The Type 1 Model 2 (Hayabusa) in the background is an unarmed spare ahead of the arrival of the Type 3. Note the 244th markings on the tail.

12

13

写真13：昭和19年12月19日、戦隊が浜松へ移ってから間もなく撮影された小林戦隊長機4424号と整備兵たち。この中には川崎航空機からの派遣技手もいる。まだ撃墜マークが描かれていないので、12月22日以前である。後列中央が乙幹出身の機付長、土屋伍長。244戦隊にあてがわれた浜松飛行場の営舎は、せまく劣悪な環境で、整備隊員たちは廊下にまでゴロ寝せざるを得なかった。すき間だらけの床に、むしろを敷いて寒さを凌いだほど。

写真14：昭和19年11月10日、はがくれ隊（後に震天制空隊と命名）の記念撮影。左から四宮 徹中尉、板垣政雄伍長、吉田竹雄軍曹、阿部 正伍長。後方の一式戦二型は、三式戦の予備として新たに配備されたもので、非武装。尾翼には244戦隊マークが描かれている。この一式戦での出撃は、11月25日吉田軍曹の1度だけで、体当りには至らなかった。

Photos 15 (p.103), 16 (p.103): A photo taken of #5262 in mid April, 1945. With the two white stripes on the fuselage, and a total of 11 kill marks, it matches the score set by CO Kobayashi as of April 12, so it's tempting to identify this as his plane. However, Kobayashi had to bail out on the 12th and was injured, and was therefore not on flight duty at this time. What's more, the change to the Type 5 took place about the same time he resumed flight duty, so it's likely this is not actually his plane.

14

15

16

17

写真15,16：昭和20年4月中旬に撮影された本部小隊の5262号機。本機の3月19日の写真（p.110写真29）と比べると、胴体に2本の白帯が描かれ、計11個の撃墜マークが描き込まれている。この数字は、小林戦隊長の4月12日までの戦果（撃墜3、撃破8）を示していることから、戦隊長乗機と称するべきかもしれないが、戦隊長自身は12日の戦闘と落下傘降下による負傷のため、この時期には空中勤務を外れており、また、空中勤務復帰と時を同じくして五式戦への改変が始まっているため、本機に戦隊長自身が搭乗した可能性は薄いと思われる。

写真17：忙中閑あり。早春の陽を浴びながら、そよかぜ隊ピストの前で将棋に興ずる。打っているのは小川 清少尉で、右側に立って見物は小原 伝中尉のようだ。小川 清少尉は、体の大きな小川伊三郎少尉と区別するため、「小さい小川」と呼ばれていた。小原中尉は56期のトップで将来を嘱望されていたが、昭和20年7月25日、八日市における対F6F戦闘で1機を撃墜の後、別の1機と空中衝突し、壮烈な戦死を遂げた。

Photo 17: Men of the Soyokaze-tai find time to enjoy a game of shogi in front of their barracks in the spring. 2nd Lt. Kiyoshi Ogawa has his hands on the board, while that appears to be Lt. Tsutou Obara standing at the right. To distinguish Ogawa from 2nd Lt. Isaburo Ogawa, who was a large man, Kiyoshi was referred to as the "little Ogawa." Obara graduated in the top of the Military Academy's 56th class and was seen as having a bright future ahead of him. But on July 25, 1945, after shooting down an F6F, his Tony and another Hellcat collided in mid-air, bringing his career and life to an abrupt end.

18

写真18：昭和20年2月初めの震天制空隊最終メンバー。後にある機体は、中野軍曹機16号らしい。左から隊長佐々木鐵雄少尉、中野松美軍曹、頼田克己少尉、板垣政雄軍曹。震天隊は3月10日に解散するが、このメンバーでは対B-29戦闘の機会は一度もなかった。

写真19：酸素マスクを着装して、いざ出撃せんとする244戦隊の勇士。パイロットが操縦席に乗り込んだ写真は多数存在するが、離陸前必ず着装しているはずの酸素マスクあるいは送話器(低空の場合)が写っている写真は、機密保持のためか極めて少ない。その意味でも貴重な記録。

写真20：そよかぜ隊小川 清少尉。とっぷう隊時代の昭和20年1月3日、竹田五郎大尉、田中四郎兵衛准尉、梅原三郎伍長と協同でB-29 1機を撃墜、特操1期生として初の撃墜戦果を記録した。写真の撃墜マークは、このときの戦果を示している。彼は4月30日朝、敵戦爆連合約100機来襲の際、東京都北多摩郡大和村芋窪付近で戦死を遂げた。五式戦による最初の戦死者である。

19

20

Photo 18: The final members of the Shinten-tai, seen in early February 1945. The plane in the background appears to be Sgt Nakano's #16. From the left is the CO, 2nd Lt. Tetsuo Sasaki, Sgt Matsumi Nakano, 2nd Lt. Katsumi Yorita and Sgt Masao Itagaki. The Shinten-tai was disbanded on March 10, but these men never had a chance to face a B-29.

Photo 19: Oxygen mask in place, a warrior of the 244th prepares for battle.

Photo 20: Here's 2nd Lt. Kiyoshi Ogawa of the Soyokaze-tai. On Jan. 3, 1945, when he was still with the Toppu-tai, he along with Capt. Goro Takeda, WO Shirobeh Tanaka, and Cpl Saburo Umehara brought down a B-29, hence the kill marking under the cockpit. He was killed in combat on April 30 against a 100-plane B-29 raid over Imokubo, in the village of Yamato, part of the Kitakama region of northern Tokyo Prefecture. He was the first person killed in combat in a Type 5.

21

22

Photo 21: This is Capt. Shouno's #16 seen at the Sanpougawara airfield in Hamamatsu, early 1945. Note the can of paint near 2nd Lt. Kiyoshi Ogawa, the man crouching while writing something. No doubt they're preparing to mark his three kills on the aircraft.

Photo 22: Cp. Tadashi Fujii, seen posing with Capt. Shouno's Tony in the background, like the previous photo. He joined the 244th from the 111th Training Hikotai from Renpomen, Korea, and generally flew with Capt. Tsutou Obara.

Photo 23: 2nd Lt. Shigeru Maeda painting the third kill marking on Capt. Shouno's #16 at Hamamatsu about the same time. At least five pilots took commemorative photos with this plane shortly thereafter.

Photo 24: 2nd Lt. Katsumi Hattori painting his second kill marking. On Jan. 27, 1945, now with three kills, Hattori got his fourth and final one by ramming a US bomber, an attack he didn't survive.

Photo 25: Capt. Fumisuke Shouno, Soyokaze-tai leader seen marking his third kill on his aircraft at Hamamatsu, in early February 1945. This is probably not #16, but #88 before having its markings stripped. Shouno graduated from the Military Academy's 55th class, starting training in light bombers, but switching to fighters. He was injured in a dogfight against a P-51 on July 16 and saw the war's end from a hospital bed. After the war, he was an active member of the JASDF, piloting F-4 Phantoms.

写真21：昭和20年1月末～2月はじめ、浜松三方ヶ原飛行場で撮影された生野大尉乗機16号。他の写真でも分かるように、この際同時に撮られたカットは数枚ある。しゃがみ込んで何かメモしている小川 清少尉の傍らには塗料缶が置いてあるので、生野大尉が挙げた撃墜1、撃破2、計3個のマークを描く準備をしているのだと思われる。

写真22：浜松で生野大尉機16号を背景にした藤井 正伍長。彼は逓信省熊本地方乗員養成所12期操縦生徒の出身。朝鮮連浦面の第111教育飛行連隊から同期生5名とともに244戦隊に配属され、主に小原 伝大尉の僚機として活躍した。乗養12期生は、軍では予備下士9期と呼称され、少飛12期とほぼ同格に扱われた。

23

写真23：撃墜マークの日の丸を愛機に描き入れる前田 滋少尉……という構図なのだが、菊池俊吉氏撮影の写真（p.82～83、写真H0552、H0556）でも触れたように、これは昭和20年2月初めごろに浜松で、16号機に生野大尉の戦果を描いているところである。この際には、5人ほどの操縦者が交互に、本機と記念撮影をしている。前田少尉自身の戦果は、未だ確認されていない。

写真24：撃破2個目のマークを描き入れる、幹候9期服部克己少尉。昭和20年1月27日、ここまで3機撃破を記録していた彼は、帝都上空で体当りを敢行、戦死した。撃墜されたB-29に服部少尉乗機の一部が食い込んでいたとの情報があり、調査が行われたが、目撃証言および決定的証拠の発見には至らず、非情にも軍としての体当り（特攻戦死）認定は得られなかった。

24

25

写真25：昭和20年2月初め、浜松飛行場で3個目の撃墜マークを描き入れる、そよかぜ隊長生野文介大尉。本機は16号ではなく、塗装を落とす前の88号とも推察されるが、定かではない。生野大尉は陸軍航空士官学校55期生で軽爆から戦闘に転科した操縦者。昭和20年7月16日、対P-51戦闘で負傷し、陸軍病院で終戦を迎えた。戦後は航空自衛隊F-4ファントム戦闘機のパイロットとして活躍した。

26

写真26～写真30までの総合解説：昭和20年3月19日、敵機動部隊攻撃のため、第18および19振武隊、それを直掩の第30戦闘飛行集団麾下飛行第47、51、52、244各戦隊全力、さらに飛行第62戦隊の四式重爆4機（うち1機は誘導・戦果確認機）による戦爆連合大編隊が、機動部隊が遊弋していると推定された遠州灘沖に向かった。虎の子とも言える30戦飛集の総力を結集した本作戦に対する大本営の期待は高く、ここに掲載した3枚の写真（写真26、29、30）は、攻撃叶っていれば大々的に新聞発表すべく撮影されたものであろう。なお、本作戦は天候不良で敵影を見ず、各隊とも夕闇の浜松飛行場に帰還する結果（四式重が1機未帰還）で終わった。

写真26：昭和20年3月19日14時52分、調布飛行場を出撃直前の第19振武隊。僚隊の18振武も出撃したが、飛行機が揃わず、両隊とも出撃機数は半分に留まった。当日は一式戦の両翼に250kg爆弾各1発を懸吊して出撃した。この後、両隊は4月初め調布を発ち、大阪、加古川、防府を経て知覧へ前進し、4月29日および5月4日に突入した。前列左から平野俊雪少尉、四宮 徹中尉、角谷隆正少尉、後列左から向島幸一軍曹、島袋秀敏曹長、松原 武曹長。角谷少尉が戦友に宛てた最後の葉書には「其の後如何か。小生等も元気なり。後僮かだ。家へ寄ろうと思ったが、大阪へ着いた翌日から岡山へ行き加古川へ行きまた此処（防府あるいは知覧）だ。先日貴様等の活躍振りを新聞で見た。森や斎藤も張り切っているね。俺も最期の頑張りをみせるよ。体に充分気を付けて大いにやって呉れ。皆によろしく」とあった。

写真27：昭和19年12月5日、244戦隊本部前で執行された、四宮 徹中尉以下の振武隊第2飛行隊（後の19振武隊）転出者6名（左列中央）の壮行式。左手遠方には東京天文台の銀色ドームが見える。吉田竹雄曹長の日記によれば、メンバーには当初、遠藤長三軍曹が選ばれていたが、当日外出中であったため急きょ、阿部 正伍長に変更された。その後、遠藤軍曹は昭和20年2月16日、戦死を遂げ、不運かに見えた阿部伍長は、5月4日出撃せるも奄美大島に不時着して生還、復員している。

Photo 26: 19th Shinbu-tai seen at Chofu airfield, just before departure on March 19, 1945 at 14:52 hours. This day, they flew Type 1 Fighters with single 250k bombs under each wing. The unit left Chofu in early April and moved through Osaka, Kakogawa and Hofu before reaching Chiran on the 29th and May 4th. Front row, L to R: 2nd Lt. Toshiyuki Hirano, Lt. Touru Shinomiya, 2nd Lt. Takamasa Kadoya. Back row, L to R: Sgt Kouichi Mukoujima, SgtMaj Hidetoshi Shimabukuro, SgtMaj Takeshi Matsubara.

Photo 27: A shot taken Dec. 5, 1944 in front of the 244th's HQ as Lt. Touru Shinomiya and his men (the six men in the center of the left side) are assigned to the Shinbu-tai's #2 squadron (later the 19th Shinbu-tai).

27

写真28：右翼に落下タンク、左翼に250kg爆弾を懸吊した愛機一式戦の前に立つ四宮 徹中尉。この写真の裏には「20.4.27　防府飛行場ニテ出発前日、写ス」とのメモがある。すでに爆弾を懸吊しているのは、知覧基地での備蓄燃弾不足のためかもしれない。第19振武隊は4月28日防府を発ち、熊本県花房（菊池）経由で知覧に到着、翌29日、天長節の夜、月明かりの中を僚隊第18振武とともに出撃した。

This is Lt. Touru Shinomiya posing with his Type 1 Fighter (Hayabusa), carrying a 250kg bomb under the left wing, and a drop tank under the right. On the back of the photo is a handwritten memo saying "taken April 27, 1945 at Defense Ministry Airfield, the day before departure." The plane may already be carrying a bomb at this point due to a shortage of munitions at Chiran. The 19th Shinbu-tai left on April 28, and stopped in Hanabusa, Kumamoto Prefecture before reaching Chiran. They headed out on their final, fatal mission on the 29th, together with the men of the 18th Shinbu-tai.

28

写真29：昭和20年3月19日、出撃直前に撮影された本部小隊の1機、5262号機。この製造番号からして、本機は19年末ごろに造られたまだ新しい機体である。落下増槽の懸吊架や排気管前方整流カバーにも「5262」と打刻されている。本機の尾翼は赤で、以前には機首から尾部に至る白帯が描かれていたようだが、迷彩徹底のためにスプレーで消されている。竹と和紙製の落下増槽には、撮影用の演出として必勝の「勝」や「祈 武運長久」「祈 勝テ」「中山軍曹、太田上等兵、平原一等兵、鈴木一等兵」の文字が書かれている。人物は本部小隊の板倉少尉と、落下増槽に名前が書かれている機付兵たち。

Photo 29: Another photo taken the same day showing #5262 of the HQ flight just before departure. According to the plane's s/n data, it was manufactured in late 1944 making it quite new at the time of the photo. The s/n is also marked on the external tank racks and the fin ahead of the exhaust pipes. The plane's tail was red, and the white stripe running the length of the plane's side has been sprayed over to increase camouflage protection. No doubt for the photo, the paper and bamboo-built drop tank has victory slogans and the names of the ground crew, pictured here, written on the side. The pilot is 2nd Lt. Itakura.

Photo 30 (p.112-113): CO Kobayashi's plane, #4424, being readied for departure the same day. Note the red tactical recognition stripes on the leading edges of the wings, and the Kanji "hi" and "sho" markings (which combine to form "hissho" meaning "certain victory") on the two drop tanks. As in the previous photo, the ground crew men's names also appear to be written on the side of the tank. Quite a bit of camouflage spray has been put on the plane, including over the red fuselage stripe and spinner. An ammo box is visible on the right wing, and a dust cover has been installed on the supercharger intake. Kobayashi also added the "hissho" marking to the plane's tail this day.

29

62

写真30： 写真29と同じ3月19日、出撃直前の小林戦隊長機4424号。注目すべきは、本機の翼前縁味方識別色が赤になっていると推定される点と、落下増槽に「必」「勝」の文字が書かれていること。左落下増槽側面には、同日の5262号と同様、機付兵らの名が書かれているようだが、詳細は確認できない。迷彩は胴体の赤帯にも相当量吹き付けられており、スピナーとプロペラにもスプレーされている。翼上に見えるのは弾薬箱で、過給器空気取入口には防塵カバーが装着されている。また当日、小林戦隊長は、垂直尾翼にも「必勝」の文字を書き込んでいる。

Photo 31 (p.114): More Shinbu-tai members at Chofu, seen in July of '45. At the left side of the front row are Cpl Fumiaki Kiyozumi (162nd Shinbu-tai), and Cpl Takayuki Matsuda (163rd Shinbu-tai, KIA just before war's end). At the left side of the back row are Cpl Kikuo Mitsumoto (163rd Shinbu-tai) and Cpl Torao Yamaguchi (232nd Shinbu-tai, KIA just after war's end). The "hinomaru" marking on their sleeves was implemented in April of 1945.

Photo 32 (p.115): This is 2nd Lt. Kazunobu Shibuta (left) and 2nd Lt. Hiroshi Haneishi, the former the CO of the 161st Shinbu-tai, formed within the 244th. They headed for Chiran shortly after arriving and didn't have much association with the 244th's regulars, but they were proud to be part of a unit that had a CO plane with so many kill markings. The Type 3 they are posing with has the lightning bolt marking.

Photo 33 (p.115): A photo of the men of the 161st Shinbu-tai, one of the "special attack" (suicide) units formed at the 244th. Front row, L to R: 2nd Lt. Kaneyoshi Sasage, 2nd Lt. Tomoya Tamaki, 2nd Lt. Hiroshi Haneishi. Back row, L to R: 2nd Lt. Hiroe Kusama, 2nd Lt. Kazuo Mori, and the unit CO, 2nd Lt. Kazunobu Shibuta. Shibuta graduated from the Army Military Academy's 57th Term, known as the "Zamaten" class. Mori, with less than 200 hours, was still the most experienced pilot in the group. The cannons on #57 behind them have not been covered up; special attack planes had their armament left in place. The 161st to 164th Shinbu-tais were scheduled to leave Chofu and head for southern Kyushu on August 15th.

30

D

31

Photo 34 (p.116): Sunday April 22, 1945 saw the 244th hailed by staff and stars of the Shochiku movie studio. Kinuyo Tanaka, their big star, is seventh from the left in the front row. The uniformed men seen here are (front row, L to R): WO Tanaka, Sgt Honda*, 2nd Lt. Ikuta*, 2nd Lt. Nakajima* (55 Shinbu-tai). Second row, L to R: Lt. Obara*, 2nd Lt. Saitou, 2nd Lt. Ogura (232 Shinbu-tai), 2nd Lt. Kohatsu, 2nd Lt. Nakajima* (232 Shinbu-tai), 2nd Lt. Hiranuma, Staff LCpl Watanabe, 2nd Lt. Sasaki*, 2nd Lt. Arai*, Staff LCpl Nakagawa. Third Row, L to R: Capt. Shouno, Capt. Takeda, SgtMaj Doi*, SgtMaj Asano*, Sgt Yamashita*, Sgt Tamakake, Sgt Nakano, Staff LCpl Araki*, Staff LCpl Matsutani*, Staff LCpl Yamasumi (only uniformed individuals named. Ranks are at time of photo. * denotes killed in action).

Photo 35 (p.116): Another photo taken in the rotary in front of the 244th's offices that day. Front row, L to R: Unknown Sgt, WO Sato, Actress Kinuyo Tanaka, Cpl Kihara. Second row, L to R: Staff LCpl Isobe*, Staff LCpl Obata, Sgt Ikawa*, Sgt Ohta, 2nd Lt. Ohiwa* (55 Shinbu-tai). Third row, L to R: Staff LCpl Hirai*, Staff LCpl Aonuma*, 2nd Lt. Matsubara*, Sgt Itagaki, Sgt Shindou*, Staff LCpl Nishino* (men in flight uniforms only. Ranks are at time of photo. * denotes killed in action).

Photo 36 (p.117): Members of the Shinten-tai pose in front of #73 on Jan. 12, 1945. From the left are WO Gonnoshin Sato, 2nd Lt. Shoichi Takayama, Cpl Matsumi Nakano and Cpl Masao Itagaki. Sato is holding a photo of 2nd Lt. Mitsuyuki Tange, who died on Jan. 9 in an air ramming attack. On this day, the wife of the Army Minister paid a condolence call on the troops, and presented them with this Japanese doll, which they named "Midori-san." It became the Shinten-tai's mascot. When Sasaki and Yorita entered the Shinbu-tai, Midori-san was taken with them to Chiran.

Photo 37 (p.117): A pose with famous singers on the Columbia label, including Hamako Watanabe, who came to entertain the troops, Feb. 10, 1945. At the left is 2nd Lt. Yasuo Aragaki. Watanabe is in the coat in the center of the photo, with songwriter Yuji Koseki next to her. In the front row is 2nd Lt. Katsumi Yorita, Shigehiro Nangou (a Kawasaki aircraft employee) and Cpl Seiichi Suzuki. Aragaki and Suzuki were both killed less than a week later, on Feb. 16. Yorita died on June 6. The Type 3 in the background is probably of the Shinten-tai. Note the covered cannon muzzles.

写真31：昭和20年7月ごろ、調布特攻諸隊の少飛15期生たち。このころ、各航空基地へは侍従武官尾形陸軍大佐による「勅使視察」があり、隊員たちは出撃近しを感じていた。左から清住文明伍長（162振武）、終戦直前に殉職した松田高行伍長（163振武）。後列左端、光本喜久雄伍長（163振武）、4人目が終戦直後殉職した山口虎夫伍長（232振武）。皆、飛行服に日の丸を縫い付けているが、陸軍でこれが実施されるようになったのは、昭和20年4月のこと。

写真32：244戦隊が編成した第161振武隊の隊長渋田一信少尉（左）と、羽石泓少尉。特攻用員として彼らが着隊して間もなく、本隊は知覧へ去ったために接点は少なかったが、彼らは多数の撃墜マークを描いた戦隊長機に瞠目し、244戦隊の一員であることに誇りを抱いたという。この三式戦にも電光が描かれている。

写真33：同じく第161振武隊の全員。前列左から捧金吉少尉、玉置友哉少尉、羽石《はねいし》泓《ひろし》少尉、後列同、草間弘栄少尉、森 和夫少尉、隊長渋田一信少尉。渋田隊長は、「座間転」と呼ばれた陸士57期の航空転科。捧、玉置、羽石、草間各少尉は特操2期生。この中では、飛行経験200時間に満たない特操1期森少尉がもっともベテランである。この57号機の砲口が塞がれていないのは、特攻用機でも原則として武装が搭載されているため。第161～164振武隊は、8月15日夕刻、調布を発って南九州へ前進の予定だった。

32

33

34

写真34：昭和20年4月22日の日曜日、244戦隊本部前ロータリーで田中絹代（前列左から7人目）ら松竹映画の慰問団と。前列左から田中准尉、★本多軍曹、★生田少尉、★中島少尉（55振武）。中列左から★小原中尉、斎藤少尉、小倉少尉（232振武）、古波津少尉、★中島少尉（232振武）、平沼少尉、渡辺兵長、★佐々木少尉、★新井少尉、中川兵長。後列左から生野大尉、竹田大尉、★戸井曹長、★浅野曹長、★山下軍曹、★玉懸軍曹、中野軍曹、★荒木兵長、★松谷兵長、山隅兵長。（飛行服・軍服姿のみ。階級は撮影時点。★印は戦没）

35

写真35：同じく前列左から氏名未確認軍曹（下士学出身？）、佐藤准尉、田中絹代、木原伍長。中列左から★磯部兵長、小幡兵長、★伊川軍曹、大田軍曹、★大岩少尉（55振武）。後列左から★平井兵長、★青沼兵長、★松原少尉、板垣軍曹、★新藤軍曹、★西野兵長。（飛行服姿のみ。階級は撮影時点。★印は戦没）

36

写真36：昭和20年1月12日、73号機の前で撮影された震天制空隊佐藤権之進准尉、高山正一少尉、中野松美伍長、板垣政雄伍長。佐藤准尉が持っているのは、1月9日に体当り戦死した丹下充之少尉の遺影。この日、杉山元陸軍大臣の啓子夫人をはじめとする上流階級の婦人による「散髪慰問」があり、このとき贈られた日本人形は『みどりさん』と名付けられて、震天隊のマスコットになった。『みどりさん』は、振武隊員となった佐々木、賴田両少尉に連れられ、知覧までお供した。

写真37：昭和20年2月10日、渡辺はま子らのコロムビアレコード慰問団と。左端は新垣安雄少尉、中央格子柄コート姿が渡辺はま子、その隣、作曲家古関裕而、前列は賴田克己少尉、南郷茂宏（川崎航空機社員で新戦隊歌作詞者）、鈴木正一伍長。新垣、鈴木は1週間後の2月16日、賴田は6月6日戦没。後方の三式戦は砲口が、すべて塞がれており、震天制空隊の1機と思われる。

37

38

39

写真38：昭和20年6月、大映多摩川撮影所が製作した特攻隊映画『最後の帰郷』の調布飛行場ロケーションにて。左端は主演の宇佐美 淳、2人目は244戦隊整備隊本部中山軍曹、2人おいて232振武隊長小倉中尉、俳優片山明彦、浦辺粂子。後方の格納庫は、大格納庫の隣にあった小格納庫。映画には本機の始動シーンが登場するが、実際の撮影では、なかなか始動せず、当時少飛17期の教育班長だった中山軍曹が急きょ、駆り出されて、一発で始動させたそうだ。本機の機番が「22」号であることは確かだが、大きく「722」と書いているのは、撮影用の演出かもしれない。

写真39：昭和20年2月26日と思われる大雪の朝、とっぷう隊平沼康彦少尉の愛機21号機。結露と凍結を防止するためにカバーが掛けられている。平沼少尉は244戦隊に十数名配属された特操1期生中、終戦まで戦闘隊(本隊)の編組に残った数少ない一人。

40

写真40：昭和20年1月、244戦隊本部横の防火用水で飛行場大隊長がペットとして飼っていたアヒルを食おうと企む、同期の仲良しコンビ安藤喜良伍長（右）と板垣政雄伍長。いざ実行しようとしたところ、アヒルたちの騒ぎに気付いた大隊長に見つかり、未遂に終わった。安藤伍長は好男子で、皆に好かれていた。現在でも「安藤はいいヤツだったなー」という声を聞く。

写真41：昭和19年秋、飛行場で兎を捕まえた、つばくろ隊の遠藤長三伍長。はがくれ隊の中野伍長は、居室ではいつも兎を抱いていたそうなので、この兎が彼のペットになったのかもしれない。操縦者は待機時間が長いので、暇つぶしの方法も囲碁、将棋、麻雀、ピンポン、野球、ギター、尺八、人によっては三味線、ピアノなど様々で、ユーモラスなエピソードも多い。

写真42：昭和19年夏、みかづき隊ピスト前で白井長雄中尉の頭を刈る、石岡幸夫伍長。営内に理髪所はなく、こうして隊員同士で刈り合うのが普通だった。空中勤務者の場合には、とくに地上での人間関係が上空での連携にも影響することから、長機と僚機は日ごろの意志疎通や連帯感醸成が重視されていた。散髪なども、その一環として、よい機会だったのかもしれない。

41

42

43

写真43：昭和20年2月ごろ、おそらく新聞社が撮影した写真。左から2人目のカメラを構えているのが生野大尉で、右へ斎藤少尉、石岡伍長、松本伍長、笹木曹長、松枝伍長、森少尉、井出少尉。背後の三式戦は15号機で、左後方に大格納庫の屋根も見える。

写真44：昭和20年6月、調布飛行場の滑走路脇にあった特攻隊のピストにて。後方の黒板には、当日の演習課目と編組が書かれている。右端から増田辰二軍曹、飯田幸八郎少尉、井野隆少尉、中島喜久治少尉、玉置友哉少尉、一人おいて森 和夫少尉。

44

45

写真45：知覧へ前進する前に立ち寄った芦屋飛行場における第159振武隊。159振武隊は、高島隊長以下５機が6月6日午後、磯部伍長が11日早朝、沖縄へ出撃して帰らなかった。後列左から松原 新《しん》少尉、高島俊三少尉、頼田克己少尉、前列同、磯部十四男伍長、伊川要三軍曹、西野岩根伍長。西野伍長機の胴体には、撃沈される空母の絵が大きく描かれていたという。

写真46：昭和20年1月中旬、震天制空隊の食事風景。右から中野松美伍長、安藤喜良伍長、板垣政雄伍長、佐藤権之進准尉、高山正一少尉。操縦者の食事はピストや仮泊所の居室で、こうして同僚たちと一緒に食べるのが普通だった。

Photo 38 (p.118): A photo taken on the Chofu airfield set of Daiei Studios Tamagawa production of "Saigo no Kikyo" (The Last Homecoming) in June, 1945. From the left is Jun Usami, the lead actor, Sgt Nakayama, of the 244th Sentai's maintenance unit, two unknown men, then Lt. Ogura of the Shinbu-tai, followed by the actors Akihiko Katayama and Kumeko Urabe. The plane in the background is definitely #22, but appears to have been remarked as "722" for the purposes of the film.

Photo 39 (p.118): The Tony (Type 3 Hien) #21 flown by 2nd Lt. Yasuhiko Hiranuma of the Toppu-tai seen covered with the both a tarp and snow, probably on the morning of Feb. 26, 1945.

Photo 40 (p.119): Cpl Kiyoshi Ando (right) and Cpl Masao Itagaki seen plotting to capture, cook and eat some of the ducks kept as pets by the airfield battalion's commander in the fire water pond near the HQ building. When they attempted to carry out their plan, the noise made by the ducks alerted the commnader, who prevented any harm coming to his birds. Ando was well-liked by the members of the unit, and decades later survivors would mention his name with fondness.

Photo 41 (p.119): Here's Cpl Chozo Endou of the Tsubakuro-tai bathing a rabbit caught at the airfield in the fall of 1944. Cpl Nakano of the Hagakure-tai is known to have had a pet rabbit in his room, so this bunny may be the one he ended up caring for. Pilots generally have an abundance of free time, and the men of the unit would fill it in any number of ways. Common games included go, shogi, mah-jong, table tennis and baseball. Many men also played musical instruments, such as the guitar, shakuhachi (Japanese flute), shamisen (Japanese three-stringed classical guitar) or the piano.

Photo 42 (p.119): Cpl Yukio Ishioka seen giving Lt. Nagao Shirai of the Mikazuki-tai a haircut outside their barracks in the summer of 1944.

46

47

写真47：昭和20年2月、大格納庫の前で、そよかぜ隊の前列左から、森少尉、小川少尉、井出少尉、藤井伍長、松本伍長、後列左から、斎藤少尉、前田少尉、生野隊長、小原中尉、木内少尉、石岡伍長、松枝伍長。そよかぜ隊は昭和19年10月、特操1期および幹候9期計約20名の少尉任官に対応すべく、第4飛行隊として発足した、もっとも新しい飛行隊で、当初は56期の小原 伝、御厨良一郎、水越 勇各中尉を教官とした特操教育班的色彩が濃かった。

写真48：昭和20年2月初め、浜松飛行場で航士57期前田 滋少尉。この写真は、生野大尉乗機と思われる三式戦一型乙16号を背景に、隊員たちが交代で撮影したうちの1枚。前田少尉は、昭和20年4月7日、来襲した敵戦爆連合を追撃中、茨城県筑波郡小張村において戦死を遂げた。

写真49：少飛11期安藤喜良伍長。昭和19年12月19日、244戦隊は推進邀撃のため浜松へ転進したが、これは、その際に小林戦隊長機3295号とともに、隊員が交互に納まったうちの1枚。元々無塗装の本機にも急きょ、迷彩が実施され、細目の青帯にも迷彩がスプレーされている。小林戦隊長僚機は、初代が石岡幸夫伍長、二代目が安藤、三代目鈴木正一伍長、四代目新藤仁平伍長、五代目松枝友信伍長、六代目板垣政雄軍曹、中野松美軍曹と、少年飛行兵出身者が続く。

48

写真50：昭和20年3月、そよかぜ隊の勇士たち。前列左から松本順二軍曹（戦没）、笹木鉄雄曹長、本多一夫軍曹（戦没）、藤井 正軍曹、松枝友信伍長（戦没）。後列同、前田 滋少尉（戦没）、斎藤昌武少尉、木内保司少尉、生野文介大尉、小原伝中尉（戦没）、小川清少尉（戦没）、井出達吉少尉（戦没）。

Photo 43 (p.120): This is a shot probably taken by a newspaper photographer around February 1945. The man with a camera, second from the right is Capt. Shouno. From the left are 2nd Lt. Saitou, Cpl Ishioka, Cpl Matsumoto, Sgt Sasaki, Cpl Matsueda, 2nd Lt. Mori and 2nd Lt. Ide. The Hien behind them is #15.

Photo 44 (p.120): This photo was taken at Chofu in June of 1945 by the barracks for men training for kamikaze missions. The large blackboard in the background shows the day's drills and pairings. From the right are Sgt Tatsuji Masuda, 2nd Lt. Kouhachiro Iida, 2nd Lt. Takashi Ino, 2nd Lt. Kikuji Nakajima, 2nd Lt. Tomoya Tamaki, an unknown member, and 2nd Lt. Kazuo Mori.

Photo 45 (p.121): This is the 159th Shinbu-tai during a visit to the Ashiya Airfield in central Japan during a stopover on their way to Chiran. CO Takashima and five over planes headed for Okinawa on June 6. Cpl Isobe on the 11th. None of these men returned. Back row, L to R: 2nd Lt. Shin Matsubara, 2nd Lt. Shunzo Takashima, 2nd Lt. Katsumi Yorita. Front row, L to R: Cpl Toshio Isobe, Sgt Yozo Ikawa, Cpl Iwane Nishino. It's said that Nishino's aircraft had the fuselage painted with a large picture of a sinking aircraft carrier.

49

50

51

写真51：体当り戦死した安藤喜良伍長の後任として戦隊長僚機になった鈴木正一伍長。昭和20年1月29日、浜松で白井大尉が写したもの。後ろは、みかづき時代の愛機15号。当日の彼の日記には「戦隊長僚機ノ命下ル。嬉シイガ而シ隊長殿、市川少尉殿憤慨致シテオル事ナラン。今度コソ思ッタ事ヲヤルゾ。モウ八機撃墜破致シテオル故、モウ死ンデモ本望ナリ」とあり、当人の喜びとは裏腹に、白井、市川両者が、教え子でもある鈴木伍長の身を案じていたことを示している。鈴木伍長は2月16日、対F6Fとの戦闘で戦死を遂げた。

写真52：昭和20年2月初め、戦死した高山正一少尉の後任として震天制空隊長に任命された、特操1期佐々木鐵雄少尉。彼は、初の「学鷲特攻隊長」と新聞にも報じられている。その後、第160振武隊員となって、5月30日ごろ調布を出発し、6月6日午後、古巣244戦隊の同僚たちに護られながら知覧基地を出撃して沖縄の海に消えた。

写真53：昭和19年12月下旬、小林戦隊長機3295号と前左から賴田克己少尉、新垣安雄少尉、後左から斎藤昌武少尉、佐々木鐵雄少尉。全員、特操1期生で、この当時は、そよかぜ隊の同僚だった。彼らは技倆的に、まだ戦闘隊の編組には入れず、調布に残留していたのではないかと思われる。新垣少尉は昭和20年2月16日、対艦載機戦闘において没し、佐々木、賴田両少尉は6月6日、振武隊員として沖縄に散った。

Photo 46 (p.121): The Shinten-tai having lunch sometime in January 1945. From the right, Cpl Matsumi Nakano, Cpl Kiyoshi Ando, Cpl Masao Itagaki, WO Gonnoshin Sato and 2nd Lt. Shoichi Takayama. Pilots' meals were frequently enjoyed in surroundings like this, either in their barracks or other rest facilities.

Photo 47 (p.122): The men of the Soyokaze-tai pose in front of their hangar in February 1945. Front row, L to R: 2nd Lt. Mori, 2nd Lt. Ogawa, 2nd Lt. Ide, Cpl Fujii, Cpl Matsumoto. Back row, L to R: 2nd Lt. Saitou, 2nd Lt. Maeda, Capt. Shouno (CO), Lt. Obara, 2nd Lt. Kiuchi, Cpl Ishioka, Cpl Matsueda. The Soyokaze-tai was the fourth squadron of the 244th formed, in October 1944. Initially, it was more of a training unit with 2nd Lts. Tsutou Obara, Ryoichoro Mikuriya and Isamu Mizukoshi acting as instructors.

Photo 48 (p.122): Here's 2nd Lt. Shigeru Maeda, taken at Hamamatsu sometime in early February, 1945. It's part of a series of photos of various pilots, all taking turns posing in front of Type 3 Model 1 #16, flown by Capt. Shouno. Maeda died attempting to defend Japan against a B-29 raid over the village of Obari, near Tsukuba in Ibaragi Prefecture on April 7.

Photo 49 (p.123): This is Cpl Kiyoshi Ando. This is a photo taken on Dec. 19, 1944, when the unit was moving to Hamamatsu, the same time that many pilots were posing with Kobayashi's #3295. This aircraft was originally a natural metal scheme, but one can see here how a very rough camouflage appears to have been hastily applied, even over the blue stripe.

Photo 50 (p.123): The men of the Soyokaze-tai show broad smiles in this March, 1945 photo. From the left, front row are Sgt Junji Matsumoto (KIA), SgtMaj. Tetsuo Sasaki, Sgt Kazuo Honda (KIA), Sgt Tadashi Fujii, Cpl Tomonabu Matsueda (KIA). Rear row, from the left are 2nd Lt. Shigeru Maeda (KIA), 2nd Lt. Masatake Saito, 2nd Lt. Yasushi Kiuchi, Capt. Fumisuki Shouno, Lt. Tsutou Obara (KIA), 2nd Lt. Kiyoshi Ogawa (KIA) and 2nd Lt. Tatsukichi Ide (KIA).

52

53

写真54：みかづき隊から本部小隊へ移ってからの鈴木正一伍長。彼は、昭和20年2月16日の対艦載機戦闘の際、小林戦隊長僚機として出撃。新垣安雄少尉とともに群馬県館林付近でF6F約20機と交戦、撃墜された。彼の締めている鉢巻は、昭和20年1月3日の戦果記録者に授与されたもので、この戦闘で彼は、白井大尉、大田伍長と協同で3機撃墜1機撃破を記録した。また、1月14日には単独で1機、27日には市川少尉、木原伍長と協同で1機を撃墜している。

Photo 51: This is Cpl Seiichi Suzuki, who replaced Cpl Kiyoshi Ando when the latter was killed in action. The photo was taken Jan. 29, 1945 at Hamamatsu by Capt. Shirai. In the background is his aircraft from his days in the Mikazuki-tai (Crescent Moon) unit, #15. Suzuki died on Feb. 16 in aerial combat against an F6F.

Photo 52: This is 2nd Lt. Tetsuo Sasaki, who replaced 2nd Lt. Shoichi Takayama as the CO of the Shinten-tai after the latter's death. He became part of the 160th Shinbu-tai, left Chofu on May 30, and then plunged into the seas near Okinawa on the afternoon of June 6, 1945.

54

55

写真55：昭和20年3月下旬、そよかぜ隊の藤井 正軍曹。彼の乗機は菊池氏に写されている一型丙15号機と思われるので、本機は乗機というわけではないようだ。注目は空中線支柱で、支柱が赤白に塗り分けられているのは、本機が教育用機であったことを示すものと推察される。未修中の操縦者が乗る機体は危険なので、地上でも場周飛行中でも、常に監視の必要があり、目印を付けるのである。本機は空中線自体も、通常の右でなく何故か左水平安定板に向けて張られている。またスピナーは、先端が故意に凹まされているように見える。これについては、整備隊幹部をはじめ、幾人かの方々にお尋ねしたが、「有り得ない。考えられない……」との反応で一致。真相は謎である。

写真56：小原中尉の説明に耳を傾ける、そよかぜ隊の面々。生野大尉、前田少尉、木内少尉、松枝伍長、井出少尉。菊池氏撮影分を含めて、本書の写真の多くが「そよかぜ」のメンバーであり、他の「とっぷう」「みかづき」2隊はほとんど写っていない。これは、昭和19年末から20年春にかけて、戦隊が衆目を集めていた時期の新聞取材や慰問が、戦隊本部直近の「そよかぜ」に集中していた結果である。地方（民間）人を自由に歩かせることはできないので、いつも彼らは本部に近い決まった場所に案内されていた。いわば見学コースのようなものである。

56

57

Photo 53 (p.125): Members of the Soyokaze-tai seen with 244th CO Kobayashi's #3295 in late December 1944. On the ground are 2nd Lt. Katsumi Yorita (left) and 2nd Lt. Yasuo Aragaki. Seated on the plane's wing are 2nd Lt Masatake Saitou (left) and 2nd Lt. Tetsuo Sasaki. At the time, these men were still too green for front-line duties and were probably left behind in Chofu for further training. Aragaki was killed in aerial combat against US fighters on Feb. 16, 1945, while Sasaki and Yorita both were killed in kamikaze attacks as member's of the 244th's Shinbu-tai special attack unit on June 6 near Okinawa.

Photo 54 (p.125): Here's 2nd Lt. Shigeru Maeda, taken at Hamamatsu sometime in early February, 1945. It's part of a series of photos of various pilots, all taking turns posing in front of Type 3 Model 1 #16, flown by Capt. Shouno. Maeda died attempting to defend Japan against a B-29 raid over the village of Obari, near Tsukuba in Ibaragi Prefecture on April 7.

写真57（p.127下）：昭和19年夏、アルプス山荘ふうの洒落た建物だった、日本郵船飛田給錬成場の屋根をかすめて着陸していく三式戦。このコースでは西側の草地に着陸することになるので（244戦隊はコンクリート滑走路を使用）、当時調布西地区に配置されていた飛行第18戦隊の機体と思われる。ここは同社の社員用施設だが、戦時には操縦者用保養所として使われており、夏はプールで水泳訓練も実施された。昭和19年11月の八紘第4隊を皮切りに、その後は特攻隊員専用の宿舎・保養所として利用された

写真58：昭和19年夏、みかづき隊尾崎喜一軍曹。少年飛行兵9期生の彼は、愛用のギターを後輩で親しかった板垣政雄伍長に残して常陸教導飛行師団へ転属、昭和20年2月16日の対艦載機戦闘において一式戦を駆って奮戦、戦死を遂げた。

Photo 55 (p.126): This is the Soyokaze-tai's Sgt Tadashi Fujii, seen in late March 1945. He's aircraft was a Hien Model 1 Hei (#15), so the plane behind him is probably not his. Another reason for that conclusion is the white stripe on the antenna mast, a marking that designated a plane used by trainees. Pilots training on new types were inherently dangerous, and this marking allowed crew on the ground and with them in the air to quickly identify inexperienced flyers.

Photo 56 (p.127): Members of the Soyokaze-tai listen to Lt. Obara's explanation. From the left, Capt. Shouno, 2nd Lt. Maeda, 2nd Lt. Kiuchi, Cpl Matsueda and 2nd Lt. Ide.

Photo 56 (p.127): Type 3 seen skimming the rooftop of Nippon Yusen Kaisha Line's (a shipping firm) employee lodge in the Japan Alps, summer 1944. The plane is probably from the 18th Sentai, which was stationed west of Chofu in this period. The company's lodge was used during the war as a rest house for pilots and its pool was used in the summer for swimming training. Beginning in November of '44, it was used as a dorm and lodge for "special attack" (suicide) pilots.

Photo 58: Sgt Kiichi Ozaki, of the Mikazuki-tai, seen in the summer of 1944. He left his guitar with his close friend Cpl Masao Itagaki when he was transferred to the Hitachi training division. He died in combat against carrier-based fighters while piloting a Hayabusa on Feb. 16, 1945.

58

三式戦闘機「飛燕」 Technical note

解説／浦野雄一（ファインモールド）
Text by Yuichi Urano

手前の一型丙15 号機は左翼主翼燃料タンクに補給中。燃料車はニッサン180型トラックの特装車。自衛隊・ジープの布製グリルカバーのように、オーバークールを防ぐためにボンネットやエンジングリルに布製のカバーが掛けられている。またヘッドライトの遮光のために独特なバーがかけられていた。奥の三式戦は主翼下部に支柱を組み立てて、支えているようだが脚まわりの整備作業か。　[p.30 Photo: H0484]

一型乙42号機の左側主翼燃料タンクに燃料補給中。補給孔のそばに手動始動把手が置かれている。機首側面の補機冷却空気取入口、手動始動把手挿入口、始動機手動押釦などが見える。主翼上部で作業を安定して行うために主脚の緩衝装置をロックさせているようだ。　[p.31 Photo: H0485]

一型丙に補給車が接近している。ニッサン180型トラックのボンネットカバー、右側（主翼）第一注油孔のキャップを外した状態、脚位置指示棒などが明瞭に見てとれる。トラックのフロントガラスの九二の文字は、揮発油の種類を示している。主翼の防空識別帯の一部にも濃緑色斑点迷彩がかかっている。　[p.34 Photo: H0487]

燃料補給車（ニッサン180型？）より主翼燃料タンクへ補給中。機首の整備兵は機関砲部分を点検中か。本来は踏んではならない過給器吸入管に、足場がないために足をかけている。三式戦闘機取扱説明書によれば燃料は「航空92揮発油」を使用し、潤滑油は「航空鉱油」、作動油は「航空作動油第一種第一号」と「航空作動油第一種第二号」を使用する、としていた。　[p.36 Photo: H0700]

滑走路の一型。機体には濃緑色の斑点迷彩が塗られているが、胴体尾部と垂直水平尾翼は迷彩塗装が施されていないようだ。冷却効果を高めるために下面にある冷却器調整扉が下側に開かれている。（写真の季節は冬だが）三式戦の冷却器は夏季の全力上昇時では冷却性能が少々不足しているので注意が必要とされていた。　[p.54 Photo: H0501]

掩壕は敵の空爆による側面からの被害を最小限に食い止めるために設けられ、飛行場大隊により構築された。盛土の高さと幅は機体の寸法により様々であるが、内側の幅は翼端から2mから5mの余裕を持って造られた。通常は車輪が通過する部分には木材や砂利をひいて鋪装した。堤の斜面は崩れないように草などが植えられて被覆がなされ、出入りのために開けられている開放部分には必要に応じて土のうやドラム缶などで閉塞して機体を保護した。　[p.56 Photo: H0538]

一型丁「10」号の左翼燃料タンクへ給油作業。車両は九四式六輪自動貨車の燃料補給車仕様。オーバークールを防ぐためのグリルとボンネットへのカバーとヘッドライトの遮光カバーなどが見える。機上で作業待機、または整備作業中の者、他の兵に敬礼を行うものなど様々な人の動きがうかがえる。　[p.59 Photo: H0525]

一型 10 号機を使ったあらゆる作業の風景。給油作業の他、機首機関砲部分の調整や操縦席に身を入れて（機関砲操作部分の？）調整する者、胴体点検孔を開けて整備作業などが行われているが、これらは、すべて演出された写真。九四式六輪自動貨車の車体後部のタンク部分、上部に置かれたライトの遮光カバーなどの特徴が見られる。

［p.60 Photo: H0527］

一型 10 号機の胴体燃料タンクに補給作業中。胴体点検孔蓋裏側に備えられた手働始動把手が見える。

［p.61 Photo: H0528］

飛行機の地上操法は作業の迅速さとともに安全の確保と事故を発生させないようにと注意された。集団で作業するために号令も決められ、機首方向に前進する場合は「前へ」、さらに前進準備状態から行動を指示する場合は、「前進用意 前へ」と指示された。［p.62 Photo: H0530］

燃料車から補給中の機体を横目に移動中の16 号。機体の移動の際には指揮官は、指揮が容易で機体の前進方向が見渡せる位置に選び、人力による地上移動は背進を基本とした。ただ風速が大きく、風向に正対する場合は前進とした。人力で移動の場合は機体の規定された位置を押すよう指示されていた。給油中の九四式六輪自動貨車は車体後部に重量が大きく集中しているので、通常は後輪がシングルタイヤが一般的であるがダブルタイヤになっている。［p.64 Photo: H0531］

プロペラと機首部分の機関砲、手動始動把手挿入口の部分、機首機関砲の弾倉の蓋など外されている。2人がかりでプロペラ軸に工具を装着している。画面の右側に取り外されたスピナーが、手前にプロペラが車輪止めを支えに置かれている。プロペラの交換作業は1時間30分の所要時間と規定された。プロペラの形式名は「ハミルトン油圧定回転式プロペラ」、調速器はハミルトン式 I 型が使われ、プロペラピッチは29度から49度、直径 3 m で重量154.5㎏であった。［p.66 Photo: H0532］

新たにプロペラを発動機に装着する場合、必ず分解組立平衡試験を完了させ、ピッチ変換機能が確実なことを確認した。まず使用開始後5時間でプロペラ軸への緊定状況を点検し、さらに20時間毎に分解してプロペラ翼端の材質疲労とピッチ変換機能に異常がないか細密に点検された。発動機へのプロペラの装着は重量が過大なためにチェーンブロックを用いて吊り上げた。［p.67 Photo: H0485］

一型丙 07 号機の機関砲の調整風景。胴体尾部をジャッキで上げて機体の水平にして、バラストを釣り下げて安定させた。射撃専用に造成しているため、主車輪の前部の盛り土により車輪止めが予め用意されている。風防直前の機関砲取付部覆が外されてホ 103 12.7 ㎜機関砲の後方蓋板が跳ね上げられ、胴体側面の点検孔蓋も開けられている。翼下のリアカーにはスコップがのせられているようだ。［p.68 Photo: H0495］

一型丙07号機の尾部をジャッキアップして水平にして、機関砲の調整を行う。丙型の特徴であるマウザー砲（MG151 20㎜機関砲）が確認できる。また昇降用に足掛が下面冷却器付近の主翼付け根から引き出されている。リフトアップした尾部の担ぎ棒には動揺しないようにバラストが吊るされ、さらに機体をロープで固定していた。主車輪は土盛り部分と車輪止めで前後に挟まれて固定されていた。［p.72 Photo: H0677］

機関砲取付部覆を外して機首機関砲の調整作業。機関砲の後方蓋板が開かれて機関部が露出している。操縦席内部では緊急時に移動風防（可動キャノピー）をレールとともに飛散させる非常用把手や操縦桿トップに付けられた機関砲の引金が見られる。飛行中の緊急事態では、この非常用把手部分から上の可動風防を飛散させ、脱出を容易にさせた。

[p.73 Photo: H0674]

ホ103の調整作業。機関砲右側の撃発機、撃発用電磁器、保弾子通路が見られる。操縦席から外部に出された電機コードは、電球を使用する照準器用のものか、あるいは引金、機関砲連動装置と電機的に接続されたシステムに機外のバッテリーなどから電力を供給するためのものと推測される。

[p.73 Photo: H0675]

機首ホ103の調整作業。機首の風防越しに百式射爆照準器、機関砲後部がうかがえる。胴体内機関砲の取り扱いはまず弾薬装弾前に点検を行う。薬室内に弾薬がないのを確かめた後、油圧操作により装填を実施した後、射撃電源を入れて安全装置を解除して、操縦桿頭部の引金を引いて空撃ちを行い電磁機の機能を確かめる。発射角の許容度は正逆5度までとされた。百式射爆照準器の点検は電源を入れ、照準環が像影するか開閉器や抵抗器を操作して確認した。

[p.73 Photo: H0676]

兵は一人が略帽を、もう一人が作業帽をかぶっている。この出入り口扉は胴体内への出入り口ともなり、胴体内部の整備点検などに使用された。扉の内側には慣性始動機操作把手（ハンドル）を格納していた。酸素装備の取扱はその気密性とともに、酸素瓶の装着部分の上には油圧装置の機能部品やタンクが装備されていたことから火災を誘発しないように注意された。酸素瓶は1本あたり3.3 ℓ入り、重量4.2㎏で三式戦1機につき2本を装備した。

[p.80 Photo: H0677]

三脚に固定された米爆撃機の模型を、操縦者が敵機との距離や攻撃位置についての感覚をつかむために百式射爆照準器を使って実習を行う。この写真は演出された風景だが、実際にはこうした訓練などが射撃感覚の醸成に役立ったと思われる。照準器は電球より照射して反射板に照準環を投影させるため、三脚の下に置いたバッテリーを電源としている。

[p.86 Photo: H0463]

百式射爆照準器を使っての照準訓練中。百式照準器は開閉器（スイッチ）と左側の抵抗器ダイヤルを操作して照準環を投影させる。遮光板、照門、電球室と電源ソケットが確認できる。

[p.87 Photo: H0474]

一型丁。機首部分と発動機覆上部の覆止金具を整備兵2人がかりでドライバーで外している。この部分にはホ5 20㎜機関砲の銃身や発射連動機原動機などが収納される。胴体左側の兵が排気管上側の薄板に足をかけているが、意外に大丈夫なようだ。またピトー管にはカバーがかけられている。

[p.88 Photo: H0493]

三式戦の風防は、前方の固定部分、摺動式天蓋（可動風防）、後部固定風防と（緊急時の風防飛散用）操縦席内側の非常把手とで構成されている。操縦席外側面には機体への昇降時に使われる手掛けが引き出されている。高々度での戦闘能力を向上させるために重量のある主翼の機関砲は降ろされ、その砲口はテープ状のもので覆われているのがわかる。

[p.96 Photo: 5]

一型丁24号機と小林戦隊長。翼下懸吊架には夕弾を装備した時によくみられる小型の振れ止めが装備されている。

[p.100 Photo: 10]

一人用マスクを着用中。三式戦闘機では一人用酸素吸入器を使用し、機体内部の2本の酸素瓶から酸素を供給した。使用にあたっては飛行前の地上待機の状態から点検後にマスクを装着し、飛行終了後まで絶対にマスクは外さないこと、とされた。しかし飛行中に容態が変化し、飲食物を嘔吐する場合はマスクを顔面より多少離し、救急弁を操作して顔面に酸素を吹き付けた。

[p.105 Photo: 19]

機首カバーをずらした三式戦に撃墜マークを描き入れている。演出された写真だが、主翼燃料タンク注入孔の翼上面蓋が外されているのがわかる。略帽を被った操縦者は冬用航空衣袴を着用している。航空半長靴には名前が書かれている。

[p.107 Photo: 25]

落下タンクの燃料注入口は黒色のキャップが付けられた。落下タンクは容量200 ℓの統一落下増槽二型で、機体の電磁器を介した懸吊架に送油管と加圧管とで操縦席下方の第2燃料タンクに接合した。タンクには燃料導管を接続し、振れ止め金具により動揺を防いだ。タンクを固定／接続した後、燃料を搭載した。この振れ止め金具はバネ仕掛けにより落下タンクとともに投下される。投下の操作は操縦桿に装着された投下ボタンにより行われて左右同時に投下された。

[p.110 Photo: 29]

一型丁24号機。主翼の上面に置かれているのは胴体砲ホ5 20㎜機関砲の弾薬箱。弾薬は、それぞれ右(乙)砲用、左(甲)砲用とに分かれ、各120発を搭載した。この弾倉は胴体側面から容易に着脱できた。機首の20㎜砲はプロペラの回転と同調して発射されるが、その実用化には苦労したといわれる。ちなみに主翼のホ103 12.7㎜機関砲の弾倉は固定式で翼の一部が弾倉を形成した。胴体下面に燃料冷却器がみえる。

[p.112 Photo: 30]

映画撮影用の機番を描かれた三式戦一型(乙、または丙型)。機首弾倉と発動機覆下部(カバー)、および機首側面にある手働始動把手(イナーシャハンドル)挿入孔蓋が外されている。発動機覆下部はシリンダーヘッドカバーや噴射ポンプ、燃料配管や冷却水管他をカバーするもの。発動機の始動は発動機右側に設けられた孔へクランクハンドルを差し込んで始動させた。発動機翼下の懸吊架には夕弾を装備する場合に装着された振れ止めが見られる。

[p.118 Photo: 38]

飛行機を野外に繋留する場合、まず機首を風向に正対させ、主脚の下端と外方下面にある繋留環、および尾部のかつぎ棒差し込み穴へそれぞれ個別に繋留ワイヤーで杭に固定した。各舵翼には翼挟みを取り付け、操縦桿とフットバーをベルトで縛って固定した。また車輪止めをかませ、風防と(発動機の)冷却器扉を全閉の状態とし、風防を含めた機体前部とプロペラにカバーを施した。またピトー管と砲口へは保護帽を被せ、燃料タンクには水が入らないようした。

[p.118 Photo: 39]

一型丙。機体尾部底面に台をかませてリフトアップしている。冷却器調整扉が大きく開き、また昇降用の足掛も降ろされている。操縦者は冬服を着用しているが、襟元の防寒対策としてマフラーを巻いたり、航空襟巻を着用しているようだ。

[p.125 Photo: 53]

Shunkichi Kikuchi and the 244th Sentai

菊池俊吉氏の写真と244戦隊

解説／櫻井 隆
Text by Takashi Sakurai

昭和20年1月末〜3月の出来事

「近衛飛行隊」とも呼ばれた陸軍飛行第244戦隊（東部第108部隊）は、帝都防空の主力として昭和16年8月、竣工間もない東京調布飛行場で編成を完結した。

爾後、昭和20年春まで、一貫して帝都の空の護りに就き、大東亜戦中、一度も外地へ派遣されなかったことでも希有な飛行戦隊である。

編成以来の戦隊史全般について、ここで述べることは紙面の関係から語り切れないので、関心がお有りの向きには、筆者が開設している244戦隊ウエブサイト http://www5b.biglobe.ne.jp/~s244f/ を参照していただくとして、本稿では、菊池俊吉氏の撮影が行われた当時の戦隊の状況について、時間を追ってたどってみたい。

昭和20年1月27日

B-29 70機が帝都に来襲。前日朝、浜松から調布に帰還していた244戦隊主力は、1250出撃した。

1350、みかづき隊第2小隊は、市川忠一少尉、鈴木正一伍長、木原喜之助伍長が協同して、高度8,000mで北進するB-29 16機編隊の1機を富士山西側で攻撃、敵機は真っ二つとなって現富士宮市に墜落した（編注：第497爆撃航空群の「ウェア・ウルフ」号と思われる）。

1400、小林戦隊長は八王子上空高度8500mを東進する14機編隊を発見、高度10,500m付近からその1機に直上方攻撃をかけた。しかし、B-29の機影が自機の死角に入り、そのまま攻撃を続行中、敵機の左水平安定板に激突した。敵機は印旛沼東方に墜落、戦隊長機も空中分解して墜落したが、戦隊長は落下傘降下に成功、立川付近に降り立ち無事であった（編注：第497爆撃航空群の「アイリッシュ・ラッシー」号。墜落せず帰還したが損傷がひどく全損となった）。

戦隊長僚機、安藤喜良伍長は1415ごろ、帝都上空で別の17機編隊の4番機に後上方から体当りを敢行、これを撃墜した（編注：第497爆撃航空群の「グストリー・グーズ」号で帰途不時着水した）。安藤機は空中分解し、現船橋市八木ヶ谷に墜落、伍長は戦死を遂げた。

とっぷう隊の田中四郎兵衛准尉は、原町田上空でB-29 14機編隊の1機を撃破。続いて後続10機編隊の1機を攻撃した後、被弾、発火したが、そのまま敵機の尾部に体当りを敢行した（編注：第498爆撃航空群のT-2号機）。田中准尉は頭部に重傷を負って意識不明のまま落下傘降下し、東京湾上に落下したが、通りがかりの漁船に救助され、一命を取り留めた。

震天制空隊長高山正一少尉は、銚子沖東南方50㎞の地点から「我、B-29を攻撃中」との無線通報を発した後、消息を絶ち、後に体当り戦死と認定された。去る1月9日、立川上空での体当り生還に続く2度目の体当りであった。

同じく震天制空隊の板垣政雄軍曹は、松戸付近上空で体当りを敢行したが、落下傘降下に成功して市川付近に着地、同日深夜、調布基地に帰還した。また、中野松美軍曹も調布上空で体当り、そのまま機体を操って不時着、生還している。

また、そよかぜ隊の服部克己少尉は、帝都上空で体当り攻撃、火だるまとなって港区麻布飯倉片町に落下、戦死した（編注：この日、5機のB-29が本土上空で日本戦闘機に撃墜され、帰途2機が不時着水し、また帰還機のうち2機が損傷もひどく全損となった）。

隊長の高山少尉を失った震天制空隊は、後任隊長に佐々木鐵雄少尉、隊員に賴田克己少尉を加え、それに板垣、中野両軍曹の4名の編制となった。しかしその後、体当りの機会はなく、震天制空隊は3月10日に解散となった。

2月10日

午後、B-29 90機が中島飛行機太田工場を爆撃した。

当日朝、浜松から調布に戻っていた244戦隊はこれを邀撃、6機撃墜、3機撃破の戦果を記録した。

1442、みかづき隊長白井長雄大尉が千葉県手賀沼上空で1機を撃墜。ついで15時過ぎ、そよかぜ隊の小原 伝《つとう》 中尉と松枝友信伍長は霞ヶ浦上空で1機を撃墜、3機を撃破した。

また同時刻ごろ、とっぷう隊の浅野二郎曹長は、下館上空高度8,500m付近を太田方面に向う敵9機編隊を攻撃し、1機を撃墜した。また、とっぷう隊の梅原三郎伍長は茨城県石下町上空で体当り攻撃を敢行、1機を撃墜して梅原伍長は現下館市に墜落、戦死した。さらに、みかづき隊の永井孝男少尉も東京上空で戦死を遂げた。

同日、とっぷう隊の田口豊吉少尉は足利上空で敵機を攻撃中、右眼右肩に敵弾を受け、瀕死の重傷を負いながらも左手のみの自力操縦によって奇跡的に調布基地へ着陸した。

244戦隊は12日〜14日の間に調布から浜松へ移動した。

2月15日

午後、B-29約60機が東海地区に侵入しつつあるとの情報により244戦隊は出撃、浜松付近上空で交戦に至った。

とっぷう隊では玉懸文彦軍曹が1機を撃破。玉懸軍曹はさらに竹田五郎大尉、山下巍伍長と協同で1機を撃破し、平沼康彦少尉も1機撃破を記録した。また、みかづき隊は佐藤権之進准尉が1機、藤沢浩三中尉と小川伊三郎少尉が協同で1機を撃破している。

2月16日

早朝から敵艦載機延べ約1000機以上が波状的に来襲し、調布を含む関東各地飛行場を終日攻撃した。244戦隊には未帰還8機、戦死者4名におよぶ大きな損害が生じた。

前夜からの情報により備えていた244戦隊は、警報とともに朝食を中断して浜松を出撃、全力30機が京浜方面に向かった。

対小型機戦に際して、もっとも練度の高かった、みかづき隊の10機は1055ごろ、千葉県八街東方上空3000mを西進するF6F約30機編隊を発見してこれを攻撃。白井長雄大尉が1機を撃墜、市川忠一少尉も1機を撃墜した。

白井大尉は、新たに侵入してきたF6F 20機編隊を八街と霞ヶ浦の中間付近で再び攻撃、白井大尉は、さらに1機を撃墜した。その当日、白井大尉僚機についていた佐藤権之進准尉は、長機を掩護中、側上方から2機に攻撃され、発動機に被弾、発火したが、落下傘降下により無事であった。

藤沢浩三中尉は発動機に被弾して利根川原に不時着し、僚機の松本敏男少尉も機体後部に被弾、作動油圧系統の損傷により、主脚、フラップともに作動せず、下志津飛行場に胴体着陸して少尉は軽傷を負った。

さらに遠藤長三軍曹は茨城県鹿島町の北浦上空で撃墜されたが、落下傘降下中、敵機に落下傘の紐を切断されて湖面に落下、戦死を遂げた。帝都上空で撃墜された釘田健一伍長も落下傘降下中、同様に紐を切断され、戦死したと伝えられる。この戦闘でみかづき隊では一挙に5機が未帰還となった。

244戦隊は午後も反復出動したが、5度目の出動の際、本部小隊（戦隊長編隊）の3機が群馬県館林上空でF6F 20機編隊と交戦、圧倒的不利な状況下、2番機鈴木正一伍長、3番機新垣安雄少尉が撃墜され、戦死した。

鈴木伍長機は現足利市に、新垣少尉機は館林市に墜落したが、新垣少尉の遺体と愛機は、34年後の昭和54年に発掘されるまで、地中深く埋れていたのである。

従来、当日の出撃機数については、当初「40機」が機体故障のために激減して5度目には小林戦隊長以下3機のみしか出撃できなかったともされているが、これは、まったく事実に反する。朝、浜松を出撃したのは「30機」であり、最終の6度目（この際の交戦はない）でも20機程度が出動している。もちろん、予備機も投入されたはずとはいえ、この熾烈な状況下におけるこの数字は、244戦隊三式戦の高可動率を証明するものといえる。当日の戦隊の総合戦果は、撃墜F6F 10機、SB2C 1機、撃破F6F 2機とされる。

2月17日

前日の戦闘により、第10飛行師団指揮下部隊には37機の自爆、未帰還機が生じた。これ以上の損害を防ぐため、防衛総司令官は、師団の中核である飛行第47および244両戦隊（ただし、震天隊を除く）を本土内作戦全般を担当する第6航空軍の指揮下に編入した。

第6航空軍司令官は、両戦隊に対し17日の空襲に際しての出撃を禁じ、同日朝、244戦隊には西那須野飛行場への一時退避を命じた。

2月19日

午後、6梯団に分れたB-29約90機が、大月方面より高度8,000mで帝都に侵入してきた。

この日はB-29だけの来襲であったため、再び邀撃が下命され、244戦隊は撃墜2機、撃破4機の戦果を挙げた。

そよかぜ隊の松枝友信伍長は1515、八王子上空高度8,000m付近で敵10機編隊を発見、その1機に反復攻撃をかけた。編隊から落伍した当該機は速度を落とし、より有利な態勢から松枝伍長が機首部分を直上から攻撃したところ、B-29は機首がもげて空中分解してしまった（編注：第500爆撃航空群のZ-31号、2名が落下傘降下した）。

このB-29の胴体部分は、四谷区四谷第七国民学校に落下した。乗機の数ヵ所を被弾して代々木練兵場に不時着した松枝伍長は、その足で墜落現場を訪れ、新聞に大きく報道されている。

この松枝伍長機は、その後もしばらくの間、代々木練兵場内に放置されていたが、地元の目撃者によれば、マウザー砲が装備された三式戦であったという。

2月22日

先に戦死した、内藤健伍少尉（20.1.19没）、吉田竹雄曹長（19.12.27没）、畑井清刀伍長（19.12.27没）の合同部隊葬が執り行われた。

2月25日

早朝から敵艦載機延べ約600機が関東各地飛行場へ来襲、調布飛行場も攻撃を受けた。午後にはB-29約150機が帝都を爆撃したが、244戦隊は邀撃が禁止されていたため、飛行機を分散遮蔽して出撃しなかった。

3月1日

前年11月、帝都空襲が開始されて以来、この日までの戦隊の総合戦果は撃墜破合計100機に達し、調布飛行場大格納庫では祝賀式典が挙行された。

この日には、戦隊を度々慰問に訪れていた古関裕而作曲による新戦隊歌「飛燕戦闘機隊々歌」の発表、ならびに戦隊員への歌唱指導も行われている。

3月10日

244戦隊は、関東に来襲すると予想された敵機動部隊の攻撃を任務とする第30戦闘飛行集団の指揮下に入った。その

従軍撮影中の故・菊池俊吉氏。当時を偲ぶこの写真の裏には「昭和十七年　陸軍浜松飛行学校にて　九七式重爆」と記されている。

結果、戦隊の性格は防空専任から特攻支援を主とするものへと変貌し、震天制空隊もこの時点で解散となった（ただし、戦隊は4月中は防空任務にも就いている）。

3月17日

戦隊教練（航法演習）実施。とっぷう隊の首藤正義伍長が、伊豆大島から調布へ帰投中、初島沖合付近で行方不明となった。

3月19日

1500、244戦隊は、潮岬東南方海上に位置すると思われた敵機動部隊攻撃のため、第18および19振武隊を直掩して全力で出撃した（51、52、47、62戦隊との協同作戦）。しかし天候不良のため会敵せず、夕刻、浜松飛行場に着陸した。

3月20日

新垣安雄少尉、遠藤長三軍曹、鈴木正一伍長、安藤喜良伍長の合同部隊葬が執行された。

菊池氏の写真はいつ撮影されたのか？

故菊池俊吉氏自身が残したメモによれば、調布での撮影は2月2日から20日の間であるという。

しかし、前述のように、2月19日までは空襲が頻繁にあり、戦隊も邀撃に度々出動している。また、この間の根拠飛行場は浜松であり、作戦上一時的に調布へ配置されることがあっても、速やかに浜松に戻ることが原則であった。

よって、人物写真については別としても、このような状況下、戦隊が空撮を含むこれらの撮影に協力し得たとは、到底考えられないのである。

では、いつなのか？

まず筆者が2月と断定した根拠は、小林戦隊長機4424号の塗装にある。

前述のように、3月1日には撃墜破合計100機祝賀行事が行われたが、これを報じる1日付の朝日新聞記事（予定稿で当日掲載）に添えられた写真には、4424号に白ペンキでF6Fの撃墜マークを書き込む整備兵が写っている。

菊池氏写真にある同機の撃墜マークは、1月27日体当り分までの計6個で、同記事によると色は赤である。したがって菊池氏の撮影は、F6Fマークが描き加えられる前、つまりどんなに遅くとも2月28日以前に行われたことになる。

次に当時の天候を見てみると、多くのカットに残雪が写っていることが手がかりになる。2月中の降雪は、7日、22日、25日の3回だが、7日の場合には、翌8日、戦隊は浜松へ帰還しており、また空襲等の状況からも考えにくい。

22日は夜半から降雪があって、23日朝には、飛行場は白一色にはなっているが、積雪は少なく、飛行機の離着陸に支障はなかった。

25日、朝から翌日早朝にかけて、まる一日雪が降り続けた。これは積雪30㎝以上にもおよぶ記録的大雪で、除雪は物理的に困難であった。天候回復後には空襲も予想されたため、26日には、調布、三鷹、多磨（現府中市）等、飛行場周囲の住民、国民学校生らも「雪踏み」のために総動員されている。

以上を総合すると、菊池氏の撮影は23日（天候曇）および24日（快晴）両日に渡って行われ、東京湾上に於ける「そよかぜ隊」の空中撮影は、天候から23日に実施されたものと推定される。

菊池氏写真の価値

p.18～p.92に掲載された一連の写真を含め、これらは、大本営陸軍部が関与した対外宣伝誌『フロント』やポスターのために撮影されたもので、ほぼすべてが演出された広告および宣伝写真というべきものである。これらを報道記録写真と捉えるのは、まったく誤りなのだ。

菊池氏は、常時5台の35㎜カメラと2名の助手を駆使して撮影されていたのだが、ネガを拝見しても、少ないカットでじつに決定的なシーンが撮られていることが分かる。おそらくは何らかのシナリオがあり、それに沿った場面を撮影すべく、ロケハンや事前準備に長い時間がかけられたものと思われる。奥さまの菊池徳子氏によれば、生前の菊池氏自身、いわば「監督」の指示で撮影していたと語っていたそうだ。

まるで昨日写したとしか思えない美しい写真たちだが、この目的のためであろう、ノートリミングで寸分のスキもなく、あまりに完璧すぎる構図を見ていると、非現実とでもいうのか、表現しようのない違和感さえ感ずるのである。

が、しかし、それでもなお、ここに写し取られているのは、紛れもなく昭和20年2月の244戦隊の姿なのだ。

これら写真群の価値が、まさに「国宝級」であることは、疑いようもない。渾身の力で、すばらしい写真を写し、そして半世紀もの長きに渡り、困難を乗り越えて保存された故菊池俊吉氏に、そして今日、家を埋め尽くすほどの膨大な写真を一人護り続けておられる菊池徳子氏に、心からの感謝を申し上げたい。

Tokyo's Chofu Airfield in Wartime

東京調布飛行場戦時史

解説／櫻井 隆
Text by Takashi Sakurai

竣工まで

東京調布飛行場は、東京府が都市計画事業として建設した公共用飛行場である。だが時局柄、真の目的は戦時防空にあったと考えられる。平時には羽田国際飛行場の予備、ならびに航空局航空試験所（川崎高津所在）用と規定されてはいたが、実際上、これらの目的に利用されることはなかった。

建設計画が明らかとなったのは昭和13年11月のこと。同12月には、早くも約300名の地権者からの用地買収が始まり、翌14年4月着工という迅速さで、人手不足のおりから工事人夫の主体は、全国から集められた刑務所受刑者約1,000名であった。

飛行場は、調布町上石原、飛田給、多磨村押立山谷、下染谷、三鷹町大沢にまたがって建設され、計画面積は約50万坪だった。建設用地に選ばれた土地には農家が点在しており、家屋40数戸と寺院、神社各1戸が移転させられた。

総工費は約460万円。うち300万円を東京府が、100万円を逓信省が、残り60万円を陸軍省が負担した。

滑走路は120㎜厚コンクリート舗装で、南北（17/35）1000m、東西（10/28）700m、幅員は共に80m。これは羽田飛行場に比肩する、当時としては第一級の本格的なものであった。

昭和16年4月30日、工事は竣工した。盛大な開場式典が行われて、DC-3型旅客機による試乗も実施されたという。

大東亜戦争開戦

昭和16年7月20日、日本本土の防衛を担当する防衛総司令部が新設された。竣工間もない調布飛行場には、その麾下に編成された第17飛行団（東部第100部隊）と、その直轄である飛行第144戦隊（17年4月、244戦隊と改称）が配置され、12月8日の大東亜戦争開戦により、調布飛行場は帝都防空の要と位置づけられることとなった。

飛行第144戦隊（東部第108部隊）は当初2個中隊編制で、97式戦闘機19機（定数）を装備、滑走路東側一帯に兵営を配置しており、格納庫はまだ大格納庫1棟のみであった。

このころ、飛行場と東京天文台の間の水田を埋め立てて東京飛行機製作所（後の倉敷飛行機）調布工場が開設され、12月には、三鷹町大沢三軒家の60万坪といわれた広大な土地に、中島飛行機三鷹研究所の建設も開始されている。

中島飛行機の創業者中島知久平は、三鷹研究所用地内にあった別荘用邸宅「泰山荘」を住いとしていたが、彼は三鷹研究所を陸海軍合同の航空機開発センターとする将来構想を描いており、大型機の発着も可能とするため、用地を調布飛行場と繋げ、用地間にあった段丘崖も削って、滑走路を2000m級に延長する計画であった。

度重なる用地拡張

昭和17年春、補助滑走路南側への用地拡張が実施された。ここには木造小型格納庫4棟と舗装エプロンが新設され、第1航空軍司令部、第17飛行団司令部および同偵察中隊等が配置された。この拡張では飛行場南西端に位置していた病院が立ち退きとなり、2階建の病棟ごと甲州街道と京王線路を渡って現在地（成長の家飛田給道場）まで移転した。

第14航空通信隊は、本部が飛行場南東に位置する現保恵学園に、送信所はここから北へ約1,000m離れた東京天文台の東側に配置されていた。

昭和18年春、用地はさらに南側および西側に拡大し、飛行場南端にあった3つの寺も、畑中を約1,000m引かれて移転した。この際、滑走路北西側の西武鉄道多摩線に沿った一画には、新たに木造小型格納庫4棟と営舎が建設された。

同年5月、柏飛行場から調布に移動してきた独立飛行第47中隊（東部第107部隊）は、新設の西地区と南地区とに1飛行隊ずつが分散配置された。同時期、西地区には大日本飛行協会調布飛行訓練所も開設されている。

昭和17年末頃の244戦隊本部。調布は東京府営で正規の陸軍飛行場ではないので、他の陸軍飛行場のような立派な建物ではなく、実用的なこじんまりしたものだった。3階建部分の2階が無線室、3階が当時の戦闘指揮所。大格納庫との間のテントは、野戦用作戦室（地面を掘り下げてある）。まだ、建物に迷彩は施されていない。本部の前では、隊員同士が剣道の稽古に励んでいる。

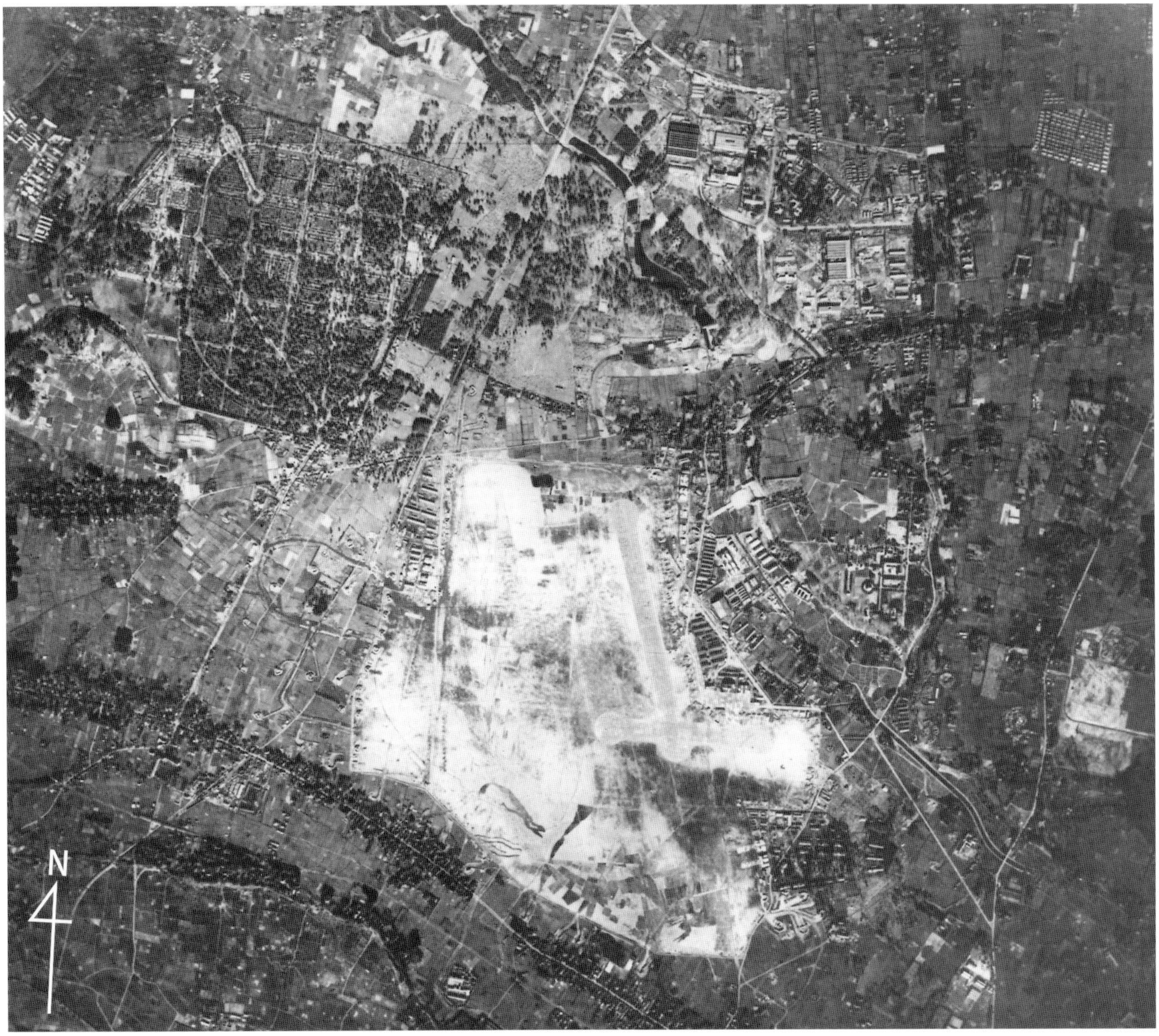

日本陸軍撮影の調布飛行場空中写真（昭和20年１月）

東地区の施設が拡充したのもこの時期である。大格納庫の隣には小型格納庫２棟が、また飛行場北東地区にも、小型格納庫４棟が新設された。ここには、おりから244戦隊が装備したばかりの３式戦の整備を分担する立川航空廠出張所が設けられた（後には第131独立整備隊も配置）。

従来、ほとんど考慮していなかった対空襲対策も実施された。日常、戦闘機を格納する土手状の掩体をエプロンに構築し、あらゆる建物と滑走路、道路などコンクリート舗装面には迷彩塗装が施された。

昭和19年夏、竣工以来３度目となる拡張が行われた。南は現在の旧甲州街道際まで、西は西武多摩線線路際までである。また、東地区の場周水路を隔てた隣接地には、主に営外居住操縦者の宿泊を目的とした「仮泊所」と大型給水塔も新設し、さらには、飛行場東側の段丘崖を利用した射《しゃ》垜《だ》（射撃場）も造成された。

このころ、大本営は、同年６月のB-29による北九州爆撃の戦訓に基づく新たな対空襲対策を以下のように下達した。

①飛行場内外に計30基のコンクリート製有蓋掩体の構築
②多磨霊園等の樹林を活用した場外秘匿地区の設定
③これらと飛行場を結ぶ誘導路の敷設
④段丘崖を利用した地下宿舎および燃料庫の設営等

部隊配置の変遷

前述のように、昭和18年に開設された西地区には、当初独飛47中隊の一部が配置されていたが、同中隊は飛行第47戦隊に改編され、同年10月から12月にかけて新設の成増飛

昭和20年8月末、日本本土占領に備えて武装解除と員数確認のため、米海軍偵察機が撮影した調布飛行場南地区。画面左上のS字型が天文台道路である。右下に弧を描く計13機は三式戦、掩体の中と左下の計11機が52戦隊の四式戦。右手から舗装エプロンにかけての計18機が6戦隊の九九式襲撃機で、中隊毎に3つに別れて整列している。左手最も上が10飛師司令部飛行班の双発高練、高練、ユングマン各2機。中央やや右の2棟が、244戦隊みかづき隊ピスト。左手数棟は旧第17飛行団司令部。格納庫2棟を含む建物は5月25日夜の空襲でかなり焼失しており、不要となった掩体の中が「肥溜め」として利用されていることや、多数の蛸壺壕も認められる。

行場へ移動した。

その後、西地区では244戦隊を編成担任とする飛行第18戦隊が新編され、今まで南地区に配置されていた独飛17中隊（司偵）も西地区へ移動した。18戦隊は19年10月、柏飛行場へ去っている。

従来、東地区に展開していた244戦隊は、19年10月、4個飛行隊編制への拡大に伴い、その一部（みかづき隊）を南地区へ配置した。

17年以来、調布南地区に位置していた第17飛行団司令部は、19年5月、第10飛行師団司令部への改編とともに都内の竹橋へ移った。

帝都空襲

昭和19年11月1日、秋空に1機の4発大型機が銀翼を現した。244戦隊は全力で邀撃したが、敵機に接近することすらできなかった。このとき出動した操縦者は、間近に見るB-29のあまりに美しく立派なその姿に、感動すら覚えたという。

11月24日から始まった帝都への爆撃は、回を重ねるに連れ大規模なものになっていったが、飛行場は攻撃対象とはなっていなかった。

しかし、20年2月16、17両日にわたる艦載機来襲では調布も執拗な機銃掃射を受け、飛行場東側段丘上にあった高射砲第112連隊羽沢陣地では、4名の戦死者を出した。この空襲を契機として、調布飛行場の主たる244戦隊の任務は、防空専任から機動部隊攻撃および特攻支援へと変質していく。

20年4月7日、硫黄島を発進したP-51約30機が、B-29を掩護して初めて来襲した。P-51は4月19日午前にも60機で来襲し、調布飛行場を攻撃した。

この攻撃により、飛行場北地区に置かれていた三式戦2機と九七練戦1機が炎上し、飛行場大隊の兵1名が戦死した。また、羽沢高射砲陣地を狙ったP-51の焼夷実包が、崖下の農家をまたたく間に炎上させた。

20年5月12日、244戦隊は特攻作戦参加のため、鹿児島県知覧への転進を命ぜられ、17日、戦隊は新鋭五式戦27機

昭和19年夏、みかづき隊ピストから見た244戦隊本部。昭和17年の時点ではなかった迷彩が実施されている。施設への迷彩は18年春からで、建物だけでなく、あらゆるコンクリート舗装面にも実施された。左手の2階建て部分は後から増築されたもので、飛行場大隊長室などがあったらしい。昭和20年5月25日深夜の焼夷弾攻撃では大格納庫が炎上、隣の戦隊本部も半焼した。

をもって古巣である調布を離れた。

その後、5月30日、航号戦策により、小月の飛行第4戦隊が二式複戦14機をもって調布に移動し、6月22日まで夜間邀撃配備についているが、帝都の要害としての調布飛行場は、244戦隊の転進によって、事実上その任に終わりを告げた。

特攻基地

調布飛行場で編成あるいは錬成を実施した特別攻撃隊は、19年11月17日、比島へ向かった八紘第4隊（後の護国隊）を皮切りに、第44振武隊、司偵振武隊、第18、19振武隊、第55、56振武隊と続いた。そして4月26日、編成された第159～164振武隊は、244戦隊員を中核として使用機も戦隊の三式戦を装備する244戦隊の別働隊的存在であった。同時に決号作戦用の232振武隊（キ115、6機）も、調布で編成されている。

第159および160振武隊は5月末、調布飛行場を出発。6月6日および11日、244戦隊の直掩を受けつつ知覧基地を出撃して、沖縄周辺洋上の敵艦船群に突入した。

5月25日深夜、帝都西部はB-29約500機による焼夷弾攻撃を受けた。焼夷弾は調布飛行場にも降り注ぎ、飛行場東地区、南地区ともに火の海となった。これにより、大格納庫と南地区格納庫4棟をはじめ多くの建物が焼失し、飛行場の風景は一変してしまった。

8月15日正午、終戦の詔勅が下った。この日夕刻、第161～164振武隊24機、ならびに7月下旬以来、調布で錬成中であった飛行第52戦隊の四式戦30機は、南九州へ向け出発準備中であったが、これにより出発を中止した。

18日、戦闘用航空機の飛行が禁止となった。さらに22日に至り、全軍に武装解除命令が下達された。

24日午後、東京での参謀長会議を終え広島へと戻る、真田穣一郎第2総軍参謀副長らを乗せた双発高練が、雨の調布飛行場を離陸していった。そして、同日18時をもって、すべての日本軍機の飛行は禁止され、8月末、在調布陸軍部隊も解散、その幕を閉じた。

占領

9月2日午前、沖縄から飛来した米軍輸送機と護衛のF4U戦闘機数機が調布飛行場に到着し、武装解除を確認した。そして4日午前、米陸軍騎兵第1師団第12連隊の約1,000名が横浜から陸路到着して、調布飛行場を制圧、占領したのである。

9月17日、進駐連合軍より日本国政府に調布飛行場接収の申し入れがあり、これ以降、調布飛行場ならびに倉敷飛行機会社調布工場は、米軍施設として供用されることになった。P-38ライトニングおよびP-51マスタングを装備する米陸軍第8写真偵察飛行隊と第82偵察飛行隊が調布に到着したのは、9月28日のことであった。

大東亜戦争終結時調布飛行場配置部隊

1.飛行部隊
飛行第244戦隊留守本部（帥34213）大貫明伸大尉
飛行第52戦隊（帥18425）高野 明少佐
飛行第6戦隊（隼魁9102）広田一雄中佐
第1総軍司令部飛行班（旧防衛総司令部飛行班）
第1航空軍司令部飛行班
第10飛行師団司令部飛行班
2.特別攻撃隊
第161振武隊　渋田一信中尉 3式戦6機
第162振武隊　二宮嘉計中尉　同
第163振武隊　天野完郎中尉　同
第164振武隊　柴山信一少佐　同
第232振武隊　小倉友助中尉 キー 115 6機
第269振武隊　工藤敏雄大尉 100式司偵8機
第271振武隊　萩原清臣中尉　同
3.その他
第20戦闘飛行集団司令部（帥34220）在東京天文台
第244飛行場大隊（天翔19195）原田竹太郎少佐
第131独立整備隊（帥19003）宮島研一大尉
第1対空無線隊（燕19187）佐藤比良夫少佐
第2対空無線隊（燕19188）小林孫孝大尉
第63対空無線隊（燕19950）田島滋人中尉

陸軍飛行第244戦隊戦没者一覧

櫻井 隆／編（2004.6.9）
Text by Takashi Sakurai

遠藤長三軍曹（1945.2.16戦死）

新垣安雄少尉（1945.2.16戦死）

小川 清少尉（1945.4.30戦死）

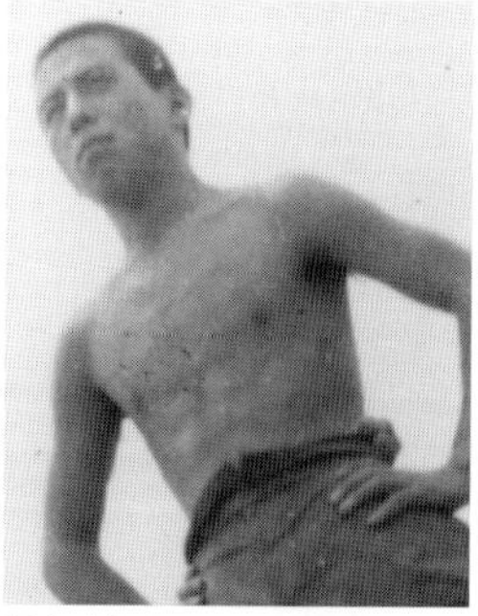
坂木 務伍長（1944.7.7殉職）

前田 滋少尉（1945.4.7戦死）

吉田竹雄曹長（1944.12.27戦死）

四宮 徹中尉（1945.4.29戦死）

浜田道生中尉（1943.8.21殉職）

安藤喜良伍長（1945.1.27戦死）

命日	官姓名	階級（戦没時）	出身期	区分	場所	所属	備考
昭和18年（1943年）							
2月20日	宮田正二	伍長	少飛8	殉職	小金井町	つばくろ隊	単機戦闘中接触事故
3月8日	野崎清二	大尉	航士52	殉職	田無付近	みかづき隊長	夜間演習中事故
3月12日	東方安芳	兵長	少飛10	殉職	板橋付近	2中隊教育班	単機戦闘中接触事故
8月21日	浜田道生	中尉	航士55	殉職	東京天文台	みかづき隊	夜間演習中接触事故
12月5日	山岡 勉	少尉	航士56	殉職	調布町国領		特殊飛行中事故
昭和19年（1944年）							
7月7日	坂木 務	伍長	少飛10	殉職	調布町下石原	みかづき隊	着陸進入中事故
7月12日	松島只宜	少尉	航士56	殉職	神奈川県二宮町	みかづき隊	三式戦空輸中
8月6日	林 稔	伍長	少飛12	殉職	藤ヶ谷飛行場	みかづき隊	演習中
8月下旬	菊池 均	見習士官	特操1	殉職	調布飛行場	教育班	九七戦離陸直後
11月5日	片桐重臣	少尉	幹候9	戦死	調布飛行場	みかづき隊	飛行場直掩中
11月9日	御厨良一郎	中尉	航士56	殉職	小金井町	そよかぜ隊	調布離陸直後
11月下旬	川見勝見	少尉	特操1	戦死	沖縄付近海上	八紘第4隊	比島前進途中
11月24日	福元幸夫	伍長	少飛12	戦死	九十九里沖	つばくろ隊	B-29追撃中
12月7日	黒石川 茂	伍長	少飛12	戦死	オルモック湾	護国隊	特攻
12月11日	出口泰郎	中尉	航士56	戦死	多磨霊園付近	とっぷう隊	夜間出撃直後
12月27日	吉田竹雄	曹長	下士90	戦死	東京湾上空	とっぷう隊	B-29体当り

小原 伝大尉（1945.7.25戦死）

小林 龍曹長（1945.4.29戦死）

山口虎夫伍長（1945.8.17殉職）

川見勝見少尉（1944.11.下旬 戦死）

御厨良一郎中尉（1944.11.9殉職）

本多一夫軍曹（1945.6.3戦死）

進藤仁平軍曹（1945.8.8殉職）

服部克己少尉（1945.1.27戦死）

五百森秀一軍曹（1945.6.22戦死）

命日	官姓名	階級(戦没時)	出身期	区分	場所	所属	備考
12月27日	畑井清刀	伍長	少飛12	戦死	練馬	みかづき隊	B-29邀撃中
昭和20年(1945年)							
1月9日	丹下充之	少尉	特操1	戦死	小平町	震天隊	B-29体当り
1月19日	内藤健伍	少尉	幹候9	戦死	横浜市港北区	とっぷう隊	邀撃出動中
1月27日	服部克巳	少尉	幹候9	戦死	麻布飯倉片町	そよかぜ隊	B-29体当り
同日	高山正一	少尉	航士57	戦死	銚子沖海上	震天隊長	B-29体当り
同日	安藤喜良	伍長	少飛11	戦死	船橋	本部小隊	B-29体当り
2月10日	永井孝男	少尉	幹候9	戦死	東京都内	みかづき隊	B-29邀撃中
同日	梅原三郎	伍長	少飛12	戦死	下館	とっぷう隊	B-29体当り
2月16日	釘田健一	伍長	少飛13	戦死	東京都内	みかづき隊	艦載機邀撃中
同日	遠藤長三	軍曹	予下士7	戦死	茨城県鹿島	みかづき隊	艦載機邀撃中
同日	新垣安雄	少尉	特操1	戦死	館林	本部小隊	艦載機邀撃中
同日	鈴木正一	伍長	少飛11	戦死	足利	本部小隊	艦載機邀撃中
3月17日	首藤正義	伍長	少飛13	殉職	初島付近海上	とっぷう隊	洋上航法演習中
4月7日	前田 滋	少尉	航士57	戦死	茨城県筑波郡	そよかぜ隊	B-29追撃中
同日	河野 敬	少尉	特操1	戦死	調布上空	とっぷう隊	B-29体当り
同日	松枝友信	伍長	少飛13	戦死	世田谷喜多見	本部小隊	P-51と交戦
4月27日	井出達吉	少尉	特操1	殉職	立川	そよかぜ隊	五式戦未修中
4月29日	四宮 徹	中尉	航士56	戦死	沖縄近海	19振武隊長	知覧より特攻
同日	井上忠彦	少尉	幹候9	戦死	沖縄近海	19振武隊	知覧より特攻
同日	角谷隆正	少尉	特操1	戦死	沖縄近海	19振武隊	知覧より特攻
同日	小林 龍	曹長	下士90	戦死	沖縄近海	19振武隊	知覧より特攻

伊川要三軍曹（1945.6.6戦死）

出口泰郎中尉（1944.12.11戦死）

井出達吉少尉（1945.4.27殉職）

佐々木鐵雄少尉（1945.6.6戦死）

高山正一少尉（1945.1.27戦死）

首藤正義伍長（1945.3.17殉職）

豊島光顯少尉（1945.6.6戦死）

菊池 均見習士官（1944.8下旬 殉職）

生田 伸中尉（1945.7.25 戦死）

玉懸文彦曹長（1945.8.14 戦死）

命日	官姓名	階級(戦没時)	出身期	区分	場所	所属	備考
4月30日	小川 清	少尉	特操1	戦死	北多摩郡大和村	そよかぜ隊	B-29邀撃中
5月25日	松谷 巌	伍長	少飛14	不慮	都内王子区	160振武隊	外泊中戦災死
5月28日	横手興太郎	少尉	航士57	戦死	富士飛行場	本部小隊	159振武引率中
5月31日	青沼喜兵衛	伍長	少飛15	戦死	鹿児島県始良郡		本隊追及中
6月2日	小倉飛光	兵長		戦死	知覧飛行場	整備1小隊	F4Uに銃撃
同日	宮本 浩	一等兵		戦死	知覧飛行場	整備1小隊	F4Uに銃撃
6月3日	本多一夫	軍曹	少飛10	戦死	鹿屋	そよかぜ隊	F4Uと交戦
同日	松本順二	軍曹	予下士9	戦死	鹿児島湾	そよかぜ隊	F4Uと交戦
同日	山下 巍	軍曹	少飛12	戦死	知覧	とっぷう隊	F4Uと交戦
6月4日	荒木秀夫	伍長	少飛15	戦死	万世沖海上	160振武隊	知覧着前不時着
6月6日	高島俊三	少尉	陸士57	戦死	沖縄近海	159振武隊長	知覧より特攻
同日	賴田克己	少尉	特操1	戦死	沖縄近海	159振武隊	知覧より特攻
同日	松原 新	少尉	特操2	戦死	沖縄近海	159振武隊	知覧より特攻
同日	伊川要三	軍曹	予下士9	戦死	沖縄近海	159振武隊	知覧より特攻
同日	西野岩根	伍長	少飛15	戦死	沖縄近海	159振武隊	知覧より特攻
同日	豊島光顯	少尉	陸士57	戦死	沖縄近海	160振武隊長	知覧より特攻
同日	佐々木鐵雄	少尉	特操1	戦死	沖縄近海	160振武隊	知覧より特攻
同日	新井利郎	少尉	特操2	戦死	沖縄近海	160振武隊	知覧より特攻
6月11日	磯部十四男	伍長	少飛15	戦死	沖縄近海	159振武隊	知覧より特攻
6月22日	浅野二郎	曹長	下士86	戦死	入来浜沖	とっぷう隊	F6Fと交戦
同日	五百森秀一	軍曹	予下士6	戦死	万世飛行場沖	とっぷう隊	F6Fと交戦
6月26日	森久保國雄	兵長		殉職	調布飛行場	整備隊	三式戦下敷き

畑井清刀伍長（後列左／1944.12.27 戦死）
福元幸夫伍長（後列右／1944.11.24 戦死）
山下 巍軍曹（前列左／1945.6.3 戦死）
黒石川 茂伍長（前列右／1944.12.7 戦死）

鈴木正一伍長（1945.2.16 戦死）

頼田克己少尉（1945.6.6 戦死）

片桐重臣少尉（1944.11.5 戦死）

松枝友信伍長（1945.4.7 戦死）

浅野二郎曹長（1945.6.22 戦死）

河野 敬少尉（1945.4.7 戦死）

松本順二軍曹（1945.6.3 戦死）

松田高行伍長（1945.8.8 殉職）

梅原三郎伍長（1945.2.10 戦死）

横手興太郎少尉（1945.5.28戦死）

林 稔伍長（1944.8.6 殉職）

命日	官姓名	階級（戦没時）	出身期	区分	場所	所属	備考
6月26日	関根 勤	上等兵	少飛17	殉職	調布飛行場	整備隊	三式戦下敷き
7月3日	平井正見	伍長	少飛15	殉職	知覧飛行場	そよかぜ隊	単機戦闘中事故
7月5日	榊原芳雄	衛生兵		戦死	調布飛行場	大隊医務室	P-51の銃撃による
7月15日	北川幸男	曹長		戦死	熊本県御船町	そよかぜ隊	F6Fと交戦
7月16日	戸井 巌	曹長	下士89	戦死	三重県一志郡	そよかぜ隊	P-51と交戦
7月25日	小原 伝	大尉	航士56	戦死	八日市	そよかぜ隊長	F6Fと交戦
同日	生田 伸	中尉	航士57	戦死	八日市	とっぷう隊	F6Fと交戦
8月8日	新藤仁平	軍曹	少飛11	殉職	八日市	本部小隊	単機戦闘中事故
同日	松田高行	伍長	少飛15	殉職	東2調布分院	163振武隊	調布試飛行中
8月14日	玉懸文彦	曹長	下士91	戦死	大阪四条畷	とっぷう隊	P-47と交戦
8月17日	中島喜久治	少尉	特操1	殉職	埼玉県行田	232振武隊	納め飛行中
同日	山口虎夫	伍長	少飛15	殉職	埼玉県行田	232振武隊	上記同乗

［写真撮影（p.18～p.91）］

菊池俊吉（きくち・しゅんきち）

1916年5月、岩手県花巻市生まれ。オリエンタル写真学校卒業。1938年、東京光芸社写真部に入社、報道写真家としての道を歩み始める。1941年、岡田桑三氏によって設立された東方社の写真部に入社、翌年2月に創刊された対外宣伝誌『FRONT』の写真スタッフとして参加する。1945年9月、広島で被爆者の医療状況を撮影。仁科災害学術調査団のスチール写真を担当。戦後は木村伊兵衛らと文化社へ写真家として参加、焼け野原の東京を撮影した『東京1945年秋』を出版した。科学雑誌『自然』に創刊から参加し、内外科学者のプロフィールなど科学分野の写真に携わりながら、『世界』『中央公論』『婦人公論』などのグラビアページに写真を発表。1986年には歴史的資料となる『銀座と戦争』、『昭和の歴史』などの写真集に作品を掲載した。同年には、川崎市民ミュージアムに20点、1989年には東京都写真美術館に30点と多くの作品が永久保存された。1990年11月、74才にて逝去。没後、米子美術館、京都国際平和ミュージアム、東京江戸博物館などにも作品が永久保存されている。

［解説］

櫻井 隆（さくらい・たかし）

1951年11月、東京都調布市生まれ。国際航空大学校整備科卒業。1990年、30年来の念願であった244戦隊史の本格調査を開始。1995年10月、戦後50周年慰霊祭に合わせて、その成果を『陸軍飛行第244戦隊史』として出版した。その後も調査を続け、2000年9月、ウェブサイト「陸軍飛行第244戦隊・調布の空の勇士たち」（URL：http://www5b.biglobe.ne.jp/~s244f/）も開設。

Photografh
菊池俊吉　Shunkichi Kikuchi

Photos by :
菊池徳子　Tokuko Kikuchi
陸軍飛行第244戦隊会ならびに御遺族各位
244th Sentai Association and family member

Text
櫻井 隆　Takashi Sakurai

Illustrations
横山 宏　Kow Yokoyama

English Text
スコット・ハーズ　Scott T. Hards

Cover Design
寺山佑策　Yusaku Terayama

Editor and Desk Top Publishing
佐藤 理　Osamu Sato

Special Thanks to :
賴田千代子、賴田康二、吉田暎治、鈴木四郎、藤井 正、亀井武雄、石岡幸夫、加藤政雄、生野文介、木内保司、木原喜之助、中山 亨、山本聰夫、野口粂助、岡部恒男、松岡弥次郎、浦野雄一、野原 茂、㈱ファインモールド、ライフライクデカール

飛　燕　戦　闘　機　隊

～帝都防空の華、飛行第244戦隊写真史～

発行日　2004年11月27日　初版　第1刷
　　　　2017年 1月11日　　　　第5刷

発行人　小川光二
発行所　株式会社大日本絵画
〒101-0054
東京都千代田区神田錦町1丁目7番地
TEL.03-3294-7861（代表）
http://www.kaiga.co.jp

編集担当　佐藤 理
企画／編集　株式会社アートボックス
〒101-0054
東京都千代田区神田錦町1丁目7番地
錦町一丁目ビル4階
TEL.03-6820-7000（代表）
http://www.modelkasten.com/

印刷／製本　株式会社リーブルテック

Printed in Japan　ISBN978-4-499-22860-2